L'univers de
Madeleine et Pierre

Denyse Galarneau

L'univers de
Madeleine et Pierre

CARTE **BLANCHE**

En couverture: Publicité parue dans *La Presse* en 1938. Voir l'originale à la page 41.
Avec l'autorisation spéciale de *La Presse*.

Les Éditions Carte blanche
1209, avenue Bernard Ouest
Bureau 200
Outremont (Québec)
H2V 1V7
Téléphone: (514) 276-1298
Télécopieur: (514) 276-1349
carteblanche@videotron.ca
www.carteblanche.qc.ca

Diffusion au Canada:
FIDES
Téléphone: (514) 745-4290
Télécopieur: (514) 745-4299

Distribution au Canada:
SOCADIS: (514) 331-3300

© Denyse Galarneau
Dépôt légal: 4e trimestre 2006
Bibliothèque et archives nationales du Québec
ISBN 2-89590-073-6

À tous les enfants :
d'hier, d'aujourd'hui, de demain.

Préambule

C'EST POUR VOUS D'ABORD, grands frères et grandes sœurs des baby-boomers, que j'ai écrit cet ouvrage. C'est à vous que la radio d'ici est redevable de sa naissance et de sa longue existence. C'est à vous qu'elle a adressé ses premiers balbutiements. C'est donc pour vous qu'aujourd'hui elle revit.

Vous, les enfants issus de cette génération et même de la suivante, ne craignez pas de soulever ce pan du passé. Pour vous la télévision a remplacé la radio et votre quotidien s'est nourri de *Watatatow* comme, avant lui, de *Passe-Partout*, de *La Ribouldingue*, de *Fanfreluche*, de *Bobino*, de *Pépinot et Capucine*. Toutes ces émissions jeunesse font partie de notre patrimoine culturel au point que maints articles, discussions, études ont traité et traitent encore de leurs sujets et des situations fictionnelles de leurs personnages. Et c'est tant mieux.

Par contre, trop peu de gens se sont penchés sur la production radio-phonique d'hier, malgré ses innombrables richesses: écriture spécifique, caractère et diversité des personnages, aspects sociaux, religieux et culturels qu'elle dégage. Pis, celle exclusivement réservée aux enfants a été complètement occultée. Et à plus d'un titre. Son classement en fait une œuvre dite « populaire », c'est-à-dire écrite pour la masse de la population et non pour l'élite. Par sa structure, elle appartient au radio-feuilleton (une intrigue fragmentée en périodes de 15 minutes) et dont l'épilogue ne survient que plusieurs semaines après son début, tels les téléromans d'aujourd'hui.

De plus, toute œuvre conçue pour un public juvénile a été trop longtemps décriée comme mineure, de rang inférieur à celles destinées aux adultes. Non essentielle, superflue, bref objet de discrimination. Et pourtant, vous, les enfants-auditeurs de *Madeleine et Pierre*, étiez des milliers à suivre chaque jour les aventures des personnages dont la plupart avaient le même âge que vous. Avec eux, vous avez vécu des attentes, des tragédies, des découvertes. Avec eux, vous avez pleuré, appris, rigolé. Vous les avez aimés au point de les imiter, de les élever au rang de héros. Tous ces moments enfouis dans votre souvenir vont refaire surface.

À travers son auteur, les contextes sociaux et radiophoniques, les thèmes de l'époque abordés par les enfants-personnages de 1938 à 1949, à travers toute l'organisation de cette émission, de la structure du village de Mont-Tranquille aux formes de participation auxquelles vous adhériez, l'univers de *Madeleine et Pierre* se déploie. Vous, plus jeunes lecteurs, vous pénétrerez dans le quotidien d'hier, avec ses formes d'apprentissage, d'entraide, de socialisation, son système de valeurs. Vous serez stupéfaits des modifications, des évolutions, des multiples différences entre vos idées, vos opinions, vos émotions et celles des générations qui vous ont précédés.

Et vous serez convaincus que de tout temps, la jeunesse a un besoin viscéral de se retrouver dans un personnage, dans un univers qui est le sien et dans lequel elle se sent acceptée.

Témoignage de Pierre Dagenais

Dans ses mémoires, diffusés sur les ondes de Radio-Canada au début des années 1960, Pierre Gagenais rendait hommage aux personnes qui lui ont insufflé la passion du théâtre. Écoutez-le :

> Parler des débuts de la radio et ne pas mentionner le nom de André Audet serait de la dernière injustice. Parler des débuts de la radio et ne pas mentionner le nom de sa mère, madame Jean-Louis Audet, n'en serait pas moins révoltant. Car ce sont certainement les deux êtres qui, en ces années-là, ont donné à notre métier son caractère le plus professionnel.
>
> André a écrit pour les enfants des contes dramatisés absolument merveilleux. Et ces textes mériteraient d'être rediffusés aujourd'hui. André était un homme de lettres et un homme de goût. Et ce n'est pas parce que j'ai vieilli que j'ose affirmer encore maintenant que c'est lui qui aura su donner aux enfants les plus belles et les plus fantastiques émissions radiophoniques.
>
> Il avait le sens de la beauté, de la féerie. Son imagination était intarissable. Son talent, son immense talent, je pense qu'il le devait à l'amour pur et sincère qu'il avait des enfants. Cet amour, il le tenait de sa mère.

[...] Et les textes d'André, personne ne pouvait les jouer par-dessus la jambe. Sa maman était là qui veillait et qui nous les faisait travailler, travailler, travailler. Tous les deux, ils nous enseignaient ce que c'est l'Art dramatique. Ils connaissaient leur métier, leur profession. Et leur science, c'est gratuitement qu'ils nous l'insufflaient. Il n'était jamais question d'argent avec eux. Ils se donnaient inlassablement à la beauté et ils cherchaient à la répandre sans espoir de récompense autre que celle d'avoir l'humble mérite de former des artistes.

En plus d'écrire des textes originaux, André Audet adaptait aussi les plus beaux contes classiques : *Le Nain jaune*, *Le Petit Chaperon rouge*, *Le Petit Poucet*, *Barbe Bleue*, *Le Chat botté*, *Les Trois Petits Cochons*, *Hansel et Gretel*, *Robinson Crusoé*... Oh! Oh! Vraiment, à combien de personnages légendaires, à combien de fées et de géants, à combien de gnomes et de lutins a-t-il redonné une âme, une vie et un langage nouveau!

André restera toujours le grand magicien de mon enfance et des premières années de ma jeunesse. Sa mère demeurera la plus belle marquise de mes jeunes années.

Je m'exprime mal, il ne doit pas être question que de moi et de mes souvenirs. André Audet et sa mère sont ceux qui ont donné à la radio canadienne ses premiers souffles poétiques. Ils ont joué avec les sons qui représentent la couleur des ondes. Ils ont créé le jeu des voix, des rythmes et des silences, des vibrations, des rires; la sonorité de l'âme des hommes [...].

Ils avaient le sens des tons divers et des contrastes. Ils ont accompli un travail colossal. Les effets musicaux choisis correspondaient toujours très exactement à l'atmosphère du récit ; on n'en abusait point. On cherchait à inventer des bruits descriptifs.

Avec André Audet et sa mère, les studios de radio devenaient de véritables laboratoires. Oui, là, vraiment, c'était la Belle Époque ! Ce n'était pas l'âge fou de la radio, c'était l'âge de la création. Lorsque l'on crée, c'est toujours avec amour qu'on le fait. C'était l'âge de l'Amour !

Il n'y a pas un mois, un chauffeur de taxi me rappelait *Madeleine et Pierro*. Ce fut le titre d'une longue série d'émissions pour enfants qu'écrivait André Audet et que sa mère nous faisait travailler. Ce chauffeur me disait : « Il n'y en a plus des émissions comme celles-là aujourd'hui ! » Il disait vrai. Ce n'est pas parce que j'ai vieilli que je le pense. Ce n'est pas moi qui parle, c'est un chauffeur de taxi. Ce n'est du reste pas la première fois que la chose se produit ! Combien de gens me reparlent encore des émissions d'André ! Il n'a d'ailleurs pas écrit que pour les enfants. Il a adapté Shakespeare, Molière... oh, je m'arrête. Son œuvre a été trop considérable pour que je puisse, ici, la résumer.

Je suis de leur école et je m'en flatte. Ils sont la pierre angulaire de la radiophonie canadienne[1].

---

1 Pierre Dagenais, *Les Mémoires de Pierre Dagenais*, Chapitre 13ᵉ, Série LE BEL ÂGE, Archives sonores de Radio-Canada.

I

Madame Jean-Louis Audet

M E RALLIANT AUX PROPOS DE PIERRE DAGENAIS, je n'ose m'aventurer dans l'Univers de *Madeleine et Pierre* et de son créateur sans retracer les données et matériaux dont Madame Audet s'est servie pour élaborer son œuvre imposante.

Yvonne Duckett vient au monde le 1er septembre 1889. Sa mère, Délia Charlotte Tellier, est québécoise tandis que son père, Richard Duckett, d'origine irlandaise. Très tôt, elle démontre des aptitudes pour tout ce qui concerne le monde du spectacle. Costumes, chansons, personnages et chorégraphies peuplent son imagination et se matérialisent en numéros variés au ravissement de sa famille, des voisins et des amis. Disposition naturelle qui la servira tout au long de sa vie.

D'abord élève des religieuses de la Congrégation Notre-Dame, elle suit des cours de chant avec Monsieur Issarouel et de diction avec Monsieur de

Roue. Puis successivement des cours de phonétique anglaise, de phonétique française au Conservatoire La Salle de Montréal, de phonétique comparée à New York. Dès lors, son choix est arrêté. Cette branche de la linguistique va devenir la charpente de tous ses travaux.

À 23 ans, en 1912, elle épouse le dentiste Jean-Louis Audet, du Service de l'Hygiène de la Ville de Montréal. Un couple assorti, aimé de tous, adorant les jeunes et s'y dévouant. De cette union naissent deux garçons: André en 1914 et Jean-Marc en 1915. Cette tâche maternelle n'affecte aucunement sa résolution d'inculquer aux jeunes les particularités de la langue française par la pause de la voix et l'articulation des sons. Ainsi, avec l'intervention de son mari, dans les salles d'hôpitaux et d'écoles, elle monte des saynètes signées la plupart du temps par le Dr Adrien Plouffe. Pour elle, lorsque des questions, telle l'hygiène, sont traitées par et pour des enfants, l'aisance des premiers se répercute sur la compréhension des seconds. Juste équilibre entre l'apprentissage d'une matière et le jeu (expression scénique).

Les Canadiens d'alors sont assujettis à plusieurs langues: celle parlée par le peuple, celle préconisée par la France, et l'anglais roi et maître. Madame Audet, bilingue dès son jeune âge, se donne comme mission de sauvegarder cette langue française qu'elle adore. En 1930, elle reçoit le diplôme d'Éducation française de l'Université de Montréal et, le 17 novembre de la même année, elle fonde avec Philéas Desjardins l'Association des professeurs de diction.

La Société du Bon Parler français, par la bouche de son président, M. Jules Massé, prône la diction comme « œuvre patriotique ». Les milieux scolaires et religieux en font leur impératif. Ainsi, M. Victor Doré, président de la Commission scolaire appuyé par l'Université de Montréal, voulant rejoindre le plus de monde possible, inaugure, à la radio de CKAC, un programme éducatif : *Cours de vulgarisation*. À plusieurs reprises, Madame Audet y est sollicitée. L'animateur de cette émission, M. René Guénette, alors un des conseillers de la Société du Bon Parler français, signale à M. Doré, en date du 9 mai 1932 :

> J'ai encore deux noms à vous mentionner, celui de madame Jean-Louis Audet, professeur de diction française, diplômée de l'Université de Montréal, et celui de monsieur Jules Derome, l'un des directeurs du poste CKAC et l'organisateur de ces *Cours de vulgarisation*. Ouvrière de la première heure, madame Audet n'a pas ménagé son zèle une seule semaine. Grâce à sa culture littéraire et musicale, nous avons pu constamment varier nos émissions. Aidée dans sa lourde tâche par d'intelligents élèves : mesdemoiselles Andrée Hamon, Lucille Laporte, Marguerite Lucas, Olivette Thibault, Suzette Roy ; messieurs André

et Jean-Marc Audet, Jean de Courville-Nicol, elle a su entretenir la précieuse sympathie de notre auditoire. Elle sait quelle gratitude je lui garde[2].

C'est ici qu'André et Jean-Marc font leurs premiers pas. Et c'est loin d'être un faux pas ! Pour le premier, c'est le scénario et la réalisation. Pour le second, c'est tout ce qui se rapporte aux différentes techniques d'une émission radiophonique. L'équipe du studio est fascinée par leur travail pendant que la maman, avec raison, ne cache pas son orgueil. Ses enfants portent en eux les germes artistiques qu'elle leur a transmis.

Madame Audet préside les *Conférences-Auditions de l'Académie d'Art dramatique* où ses jeunes élèves et ceux de quelques autres professeurs de diction — dont le nombre va s'accroissant — côtoient des comédiens chevronnés venus lire les textes des grands de la littérature.

La Commission canadienne de la radio, désireuse d'émettre sur les ondes une programmation enfantine et renseignée sur les succès remportés par Madame Audet, lui en demande la direction. Comme rien ne la rebute, elle accepte, sachant quel immense chantier l'attend.

La radio est jeune encore mais Madame Audet flaire déjà les nombreuses possibilités de divertissements et d'apports culturels que ce médium peut

---

2. Lettre de M. René Guénette à M. Victor Doré, 9 mai 1932. Archives personnelles.

apporter. D'abord diffusée de 6 h 25 à 7 h sur les ondes du CNRM, poste du Canadien National installé à Laprairie, *Radio Petit-Monde*, qui débute le 25 octobre 1933, devient la première émission destinée à un jeune public et constituée uniquement d'enfants. Les grands classiques, ceux des adultes, y sont adaptés, tels Molière, Ghéon et Claudel, tout autant que ceux écrits pour les enfants, dont Grimm avec *Hansel et Gretel*. Leur adaptation tout autant que des créations de sketchs sont dues à la plume d'André Audet.

L'équilibre éducationnel se fait sans heurts, car tout en respectant le caractère esthétique de grandes œuvres, André et sa mère les remodèlent en scènes courtes, en phrases directes, à la portée des enfants-acteurs et des enfants-auditeurs (4-15 ans). Et c'est ici que je ne puis m'empêcher de constater l'influence réciproque du langage des enfants et de l'écriture radiophonique. Comme si le premier avait été conçu pour servir l'autre. La radio est un univers de sons et seule la voix de l'interprète, de la musique et quelques éléments sonores alimentent l'imagination de l'auditeur. C'est d'ailleurs pourquoi le chœur ainsi que les bruiteurs sont ici des enfants. Françoise Larivière, âgée de 16 ans, accède au poste d'annonceur tant de l'émission radiophonique (souvent désignée comme *Variétés enfantines* par le journal *La Presse*), que de tous les spectacles sur scène donnés par la troupe de Madame Audet.

Même si la diffusion de l'émission doit subir plus d'un changement d'horaire en soirée et plus d'un émetteur, CHLP, CRCM, CHRC à Québec, CKAC à Montréal et finalement en direct du studio de Madame Audet, le samedi de 4 h 30 à 5 h, *Radio Petit-Monde* a une large cote d'écoute qui durera 10 ans.

À l'époque de l'entrée en onde de cette émission, Madame Audet lutte pour obtenir de la Ville de Montréal un lieu théâtral qui lui soit fourni, une structure semblable à celle des *Concerts symphoniques* ainsi que des subventions gouvernementales. Si la majorité des artistes l'appuient, bien des opinions contraires s'élèvent. Pour cette femme passionnée, point de découragement. Sur les incitations de Monsieur Édouard Montpetit, en 1936, au 3959, rue Saint-Hubert à Montréal, elle ouvre donc son propre studio. Là, dans son sous-sol, des cours de danse, de piano, d'art dramatique et, évidemment, de phonétique sont donnés pour les 5-75 ans, y compris les religieuses et les curés. Chaque groupe de 10-15 élèves se relaie selon qu'il appartient aux Petits (2-3 ans), aux Moyens (jusqu'à 15 ans) ou aux Grands. Les plus démunis comme les mieux nantis y sont acceptés avec la même patience, le même sourire, la même chaleur. Jamais elle ne hausse le ton lors d'une erreur ou d'un manque de sérieux. Soucieuse de tout ce qui est noble et beau, elle accorde une attention particulière au timbre et au

Madame Audet lors d'une émission de *Radio Petit-Monde* en 1942.
(Bibliothèque et Archives nationales du Québec, Fonds Conrad Poirier : P48, S1, P23001.)

registre de chacun, notamment des plus jeunes, afin qu'ils demeurent le plus naturel possible. Et comme l'émission des voyelles et l'articulation des syllabes reflètent la langue maternelle (celle parlée à la maison et à l'école), Madame Audet requiert la présence des parents, des mamans surtout, et des professeurs. D'ailleurs, comme le souligne René Caron, « lorsqu'on prenait de l'assurance et que l'on pouvait lire couramment à première vue, Madame Audet disait à André : "Écris-lui donc un petit rôle. Je pense que tu peux l'utiliser[3]" ».

Ses élèves la surnomment avec amour « marraine ». Ce qui la comble, elle si généreuse, elle qui met souvent des bonbons dans la poche des enfants. Elle s'émerveille d'une petite blonde, Denise Hébert, pétillante, vive, gaie, et la surnomme Marjolaine. L'enfant gardera et garde encore ce nom que vous connaissez tous et toutes : Marjolaine Hébert.

Les soirées de Grand-Mère dès 1936 (sa deuxième émission) se font entendre à CKAC et à CHRC (Québec) pendant 6 ans. Cette fois, c'est Rolland Bédard qui est le bruiteur attitré de l'émission. Il est important de signaler qu'Adrienne Samuel et Jacques Bélair, les futurs Madeleine et Pierre,

---

3. René Caron, *Comme si c'était hier*, p. 38.

y font leurs débuts ainsi que Rolland D'Amour, le futur oncle Jean du feuilleton *Madeleine et Pierre*. *Les soirées de Grand-Mère* sont empreintes de l'histoire de France, de légendes du Grand-Nord, de contes et de chants. André Audet les recrée, les transpose avec clarté et précision. Et c'est dans le contenu de cette émission que nous commençons à saisir la passion de la mère et du fils pour le folklore international.

Pour les répétitions, Madame Audet donne deux billets d'autobus à ses élèves. Ce qui est à la fois dérisoire et généreux. À cette époque, sept billets d'écoliers coûtent 25 sous. Car sa troupe, d'âge mineur, ne peut appartenir à la Société des Artistes ni recevoir un traitement salarial adéquat.

Les cours de diction se font concurrence dans les années 1940. Parmi les plus éminents professeurs, il convient de signaler Madame Camille Bernard, une autre qui a donné sporadiquement le micro à ses jeunes élèves. Sa carrière de diseuse l'amène à ouvrir une école de chant, avec exercices de maintien et de vocabulaire. Outre la radio, maintes productions sur scène révèlent le talent de son *Théâtre des Petits*, tel le 20e anniversaire du Bien-être de la Jeunesse, à l'École du Plateau, au Parc Lafontaine, le 12 novembre 1933. À quelques reprises, André Audet, le fils de Madame Audet, futur scénariste et réalisateur de *Madeleine et Pierre*, lui écrit des saynètes. Puis d'autres, dont Lilianne Dorsen, Éva Dupuis, Jeanne Maubourg, Henri

Norbert et Suzanne Paquette-Goyette, parmi les plus illustres. Cette dernière nourrit une très haute estime pour Madame Audet et deviendra, au fil des ans, l'âme du Conservatoire La Salle.

À cette époque, il est intéressant de remarquer que dans les émissions-jeunesse, le noyau familial (père, mère, frères, sœurs) s'est modifié. Un seul adulte en assume la responsabilité. Il en est ainsi de *Tante Lucie* (1942-1952), racontant des histoires aux enfants et personnifiée par Amanda Alarie, et aussi *Miss Trent's Children* (adaptée par Louis Morissette), une « vieille fille » et un trio d'enfants, pour n'en citer que quelques-uns. Ce qui n'existera dans aucune des émissions de Madame Audet puisque seuls les enfants sont des personnages. En 1938, Madame Audet publie aux Éditions Beauchemin *Les Monologues du Petit-Monde*. Poèmes et comptines connues s'entremêlent à d'autres issus de la plume de son fils André. Des aperçus de sa méthode et des commentaires sur le rendement de ses pupilles et la mention de son fils complètent l'ouvrage. Bilan hâtif mais aussi projection de ses principes, théories et idéaux. En 1945, elle prépare une thèse de doctorat en phonétique comparée.

À l'heure même où *Yvan l'Intrépide* captive le jeune auditoire, que les aventures de *Madeleine et Pierre* s'achèvent et que les radio-feuilletons pour adultes connaissent leur âge d'or, elle n'hésite pas à relancer le style qui lui est propre: monologues et contes dramatiques. Entre 1950 et 1955, cette fois, sur les ondes de Radio-Canada entre 10 h et 10 h 30 du matin, un samedi sur deux, elle émet *Les Ondes enfantines* pour les 3 à 5 ans. Une émission très bien accueillie bien qu'elle suive, dans la grille horaire, l'émission *Tante Lucille* dont le contenu n'a rien de comparable à celle de Madame Audet. La réalisation en est confiée à Roger de Vaudreuil et parmi les jeunes vedettes: Denise Bombardier, Michèle Bisaillon, Rita Bibeault. Les textes sont évidemment de la main d'André, son fils. Après la mort de celui-ci, Madame Audet devra puiser dans les archives qu'il lui a laissées, dans sa propre imagination ou encore se tourner vers les classiques (Racine, Daudet, etc.). Elle s'allie à certains grands noms du théâtre dont François Rozet avec qui elle monte un spectacle au Gesù, le 21 juin 1948. Elle les fait participer à plusieurs programmes radiophoniques et elle leur fait gravir aussi la scène de la Salle Saint-Sulpice, et celle du Palais du Commerce avec la pièce *La Bottine de la Mère Michel*, retransmise le matin de Noël 1952 à Radio-Canada. Au Festival de Montréal d'août 1952, sous la présidence de M. Paul Gouin et de Mgr Olivier Mauraut, recteur de l'Université de Montréal, au Chalet de la Montagne, sa troupe de danseurs costumés rencontre celle d'*Yvan l'Intrépide* qui, elle, s'échappe des ondes, pour la seule et unique fois.

Le 11 juin 1949, sa troupe d'enfants et d'adolescents participe à *Samedi-Jeunesse*, diffusé sur les ondes de Radio-Canada.
(Bibliothèque et Archives nationales du Québec, Fonds Conrad Poirier: P48, S1, P23486).

Avec sa troupe, elle enregistre trois microsillons au Studio Walter P. Down et, à raison de deux fois par semaine, elle donne des concerts et spectacles de danse dans des écoles et diverses organisations.

Inlassable, elle est partout, donnant des cours à l'École supérieure d'Outremont, au Conservatoire La Salle durant 3 ans, à l'École Vincent-d'Indy pendant 10 ans. Elle préside aussi aux *Soirées littéraires* pendant 3 ans, donne maintes conférences tant au Québec qu'aux États-Unis et au Lady's Morning Club de Worcester. Elle participe au Congrès de la Langue française de la Société du Bon Parler français. Assoiffée de langues et de folklore, elle voyage en Italie, au Portugal, en Roumanie où elle est l'hôte du *Congrès international de Folklore* en 1959.

À cette défricheuse, à cette femme d'exigence et d'amour, à cette puriste qui exhorte les pédagogues, éducateurs et tous ceux chargés de diriger les jeunes à suivre ses traces, arrive la consécration ultime. En juin 1965, l'Alliance française l'honore et la nomme membre à vie de l'Union des Artistes.

Poursuivant son œuvre jusqu'à la toute fin, elle s'enrichit de nouvelles connaissances et les communique aux autres. Elle avance en âge et son actif n'est pas uniquement derrière elle. Il grandit chaque jour dans la personnalité de tel artiste, dans le talent d'un autre ou par sa simple présence aux côtés d'un enfant timide.

Voici une liste partielle des jeunes assidus à ses cours.
Ceux de la première heure :

Fernande Larivière

Suzette Roy

Robert Gadouas

Lucille Laporte

Pierre Dagenais

François Bertrand

Hélène Bienvenue

Gisèle Poitras (chanteuse)

Cécile Robert

Huguette Robillard

Claude Paradis

Jeannette Desrochers

Auxquels s'ajoutent :

Denise Hébert

Adrienne Samuel

Claudette Gauthier

Jacques Bélair

Shirley Bruce

Michel Thibault

Lise Lambert

Jacqueline Vézina

François Trudel

Béatrice Picard

Estelle Piquette

Pierre Boucher

Renée Dubois

Serge Turgeon

Huguette Flynn

Nathalie Naubert

Claire Lévesque

Denise Bombardier

Rita Bibeault

Nicole Dulac

Gisèle Sabourin (chanteuse)

Michèle Bisaillon

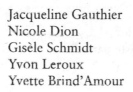

Jacqueline Gauthier	Andrée Champagne
Nicole Dion	Camille Ducharme
Gisèle Schmidt	Bruno Paradis
Yvon Leroux	Monique Miller
Yvette Brind'Amour	René Caron

Muriel Gold, une jeune anglophone qui n'a jamais connu Madame Jean-Louis Audet, est pourtant la seule à avoir soulevé un large pan de son théâtre. Tout comme Pierre Dagenais, elle reconnaît l'immense contribution de Madame Audet, tant par sa pédagogie toute particulière que par ses notions d'articulation de la langue française, et va jusqu'à souhaiter le reconnaissance de cet apport à la province de Québec[4].

Quatre ans plus tard, en 1969, se ferment définitivement les portes de son studio.

En pleine Crise d'octobre, deux semaines après les funérailles d'État de M. Pierre Laporte, soit le 29 octobre 1970, à l'âge de 81 ans, Madame Audet s'éteint, rejoignant ainsi son amour de toujours Jean-Louis et son fils aîné André.

---

4. À consulter: Muriel Gold, *A Study of Three Montreal Children's Theater*, These of Master of Art in the English Departemental Drama.

Plusieurs émissions ou articles ont souligné
l'apport important de Mme Audet, en voici une liste partielle

Feu Vert
Invitée : Nathalie Naubert signale « l'apport important de Madame Jean-Louis Audet pour la formation de toute une lignée de comédiens au Québec et ensuite de Radio-Canada qui a permis à ceux-ci de travailler ».
Animateur : Pierre Paquette
Réalisateurs : Claude Morin et Jacques Cossette
Archives sonores de Radio-Canada (Ottawa), n° 740528-21

Feu Vert
Invitée : Gisèle Schmidt
« Souvenirs de la belle époque de la radio plus une évocation de son professeur : Mme J. –L. Audet. »
Animateur : Pierre Paquette
Réalisateurs : Claude Morin et Jacques Cossette
Archives sonores de Radio-Canada (Ottawa), n° 800823-3

Le Grand Carrousel du samedi matin
Invité : Pierre Dagenais
Il commence par évoquer ses études chez Madame Audet à qui il voue le plus grand respect.
Réalisateur : Claude Morin
Archives sonores de Radio-Canada (Ottawa), n° 800621-3

Le Grand Carrousel du samedi matin
Invitée : Béatrice Picard
Elle rappelle, entre autres choses, « l'aide précieuse de Madame Audet, professeur chez qui elle a fait ses premiers pas ».
Réalisateur : Claude Morin

Audet, Madame Jean-Louis
Langage de mon pays
Invitée : Madame Jean-Louis Audet, professeur de diction
Animateurs : Henri Bergeron et Raymond Laplante

Le Théâtre de Radio-Canada : *La Maternelle*
Chœur d'enfants sous la direction de Madame Audet
Catalogue collectif des Documents sonores de langue française, page 94
Archives journalistiques (partielles)

Lapierre, Lise : « [...] leur métier, c'est grâce à Madame Jean-Louis Audet, et c'est pour cela qu'ils lui ont rendu un hommage aussi émouvant ».
Échos Vedettes, 3 juillet 1965, p. 15

Thibault, Marc. « Madame Jean-Louis Audet : elle a lancé Monique Miller, Marjolaine Hébert, Robert Gadouas, Yvette Brind'Amour, Andrée Champagne, Gisèle Schmidt, Lise Lasalle, Pierre Dagenais, etc. »
Le Journal des Vedettes, 14 février 1960, p. 219

II

L'univers de Madeleine et Pierre

LA RADIOPHONIE EST UNE LITTÉRATURE ORALE. C'est-à-dire qu'elle est transmise par la parole comme le sont les légendes et les contes que les petits enfants — comme les plus grands — aiment entendre et réentendre, avec la même fascination, le même émerveillement. Madame Jean Louis Audet l'a bien compris. Mais la radiophonie est aussi l'émettrice du direct. Elle communique l'information au moment même où le fait se produit. Et dans les années 1930, les comédiens des différentes émissions — théâtre, dramatique par épisodes (les mêmes personnages vivent une histoire complète), radio-feuilleton (facture identique à celle du téléroman) — plongent les auditeurs dans l'action au moment même où ils la vivent. Alfred Rousseau, le premier, pose les constituantes du roman policier, c'est-à-dire un fait, une victime et un détective et, conséquemment, le déploiement de la nature humaine, par la série dramatique *Un meurtre au poste de radio* (1932-1933) et le premier radio-feuilleton, à l'automne 1934, avec *L'Auberge des Chercheurs d'or*. Quatre ans plus tard, ce sont ces deux voies qu'emprunte André Audet. Il est convaincu que la dramatisation quotidienne rejoint davantage les auditeurs parce qu'ils s'y reconnaissent, s'y moulent. La plupart du temps, il n'y a aucune répétition préalable. Aucun détour. Aucun délai. Et afin que le public visé se sente concerné, touché, il faut que la phrase qui lui parvienne soit concise, dépouillée de tout artifice.

1938 est une année mouvementée. Elle détient le record de demandes d'emploi, comme professeurs de diction, à la Commission scolaire de Montréal. Madame Mia Riddez est l'une des premières à en obtenir un. Au moment même où Monsieur Jean Bruchési fait appel à Madame Jean Desprez pour « l'organisation de la diction française dans les écoles normales de la province », où Madame Jean-Louis Audet publie son premier livre, *Les Monologues du Petit-Monde*, M. l'abbé Charles-Émile Gadbois, lui, lance ses premiers cahiers de *La Bonne Chanson*. La sauvegarde de la langue française, de nos traditions, de nos héros, de notre foi patriotique a prépondérance, notamment dans les écoles, depuis la Grande Campagne d'Éducation nationale de 1937.

Sur les ondes radiophoniques, Madame Audet, avec *Les Soirées de Grand-Mère*, se partage la vedette avec Robert Choquette qui inaugure son radio-feuilleton *La Pension Velder* à CBF le 3 octobre 1938. Deux jours plus tard, au même réseau, Paul L'Anglais donne vie à *Ceux qu'on aime* et Henry Deyglun, le 24 octobre 1938, présente *Vie de Famille* Dès lors l'écriture feuilletonesque prend son essor et deviendra la caractéristique de la radio d'ici.

Le poste CKAC, première radio française au monde depuis 1922, s'est donné comme mission d'« Instruire et divertir ». Cette station, qui aura le monopole des radio-feuilletons, dépend depuis 1929 de la publicité pour survivre. Or en 1937, la compagnie de céréales Kellogg fait des pressions auprès de M. Wilfrid Charland, directeur de l'Agence White Hall Broadcasting, pour dénicher un scripteur (rare à cette époque) suffisamment compétent pour écrire une émission consacrée aux enfants (et pas uniquement de la chansonnette). M. Charland, connaissant la réputation et les succès de Monsieur André Audet, le consulte aussitôt. Le jeune homme de 24 ans présente alors un synopsis de radio-feuilleton qui, sans négliger l'amour de la patrie, les valeurs de l'époque, les quêtes tant familiales que personnelles — thématiques privilégiées des autres émissions —, allie les valeurs pédagogiques et sociales aux rires, à la spontanéité des enfants À l'enquête policière, voire l'espionnage, il combine l'aventure. Kellogg accepte d'emblée le projet pour 13 semaines, à raison de quatre diffusions par semaine : les lundis, mardis, mercredis et jeudis soirs, même pendant l'été.

André Audet connaît ce public juvénile animé, exigeant, captivé et captivant. Comme sa mère, il a le sens du beau et de l'esthétique. Il sait que la première chose sur laquelle il doit miser pour retenir le jeune auditoire, c'est de s'en faire comprendre. Et afin que le public visé se sente concerné, touché, il faut que la phrase qui lui parvienne soit concise, dépouillée de tout artifice. Pour ce, il faut lui parler dans le langage qui est le sien : le parler populaire. Non pas celui de la vulgarité, mais celui de la simplicité. Tout en incluant dans ses dialogues des notions de vocabulaire, de grammaire, des synonymes, des métaphores, des jeux de mots, etc. Et où trouver ceux qui incarneront ses personnages ? Quoi de mieux que le « poulailler » de Madame Audet ! Il y réécoute les élèves qui lui sont familiers, scrute les nouvelles voix, teste leur personnalité. C'est ainsi qu'il détermine le rôle de chacun d'eux. André a pour principe de ne changer aucun mot à sa trame fictionnelle, à moins d'événement important, et s'assure que les jeunes acteurs le respectent. Les textes étaient remis 20 minutes avant l'entrée en ondes. Il va même, au fur et à mesure du déroulement de l'intrigue, tenir secrète la solution finale. Ainsi les enfants-acteurs et les enfants-auditeurs la découvrent en même temps. Il crée un petit village sur les rives du Saint-Laurent, en Gaspésie, avec le magasin général, l'école, l'église, quelques familles et plein d'enfants; c'est *Mont-Tranquille*. Ce microcosme est très près de celui de ses futurs auditeurs. Et comme eux, ses personnages-enfants sont spontanés, joyeux, insouciants, curieux. Mélomane et ayant le sens du «timing», André Audet choisit lui-même la musique d'atmosphère appropriée à l'intrigue en cours. Au bruiteur, il signale l'endroit précis où faire tourner le «78 tours» choisi, de tel à tel sillon, en chiffrant le texte correspondant ainsi au numéro collé sur la plage du disque. Chacune des manœuvres du bruiteur exige une grande dextérité puisque c'est grâce à lui que chaque déplacement du personnage, chaque climat devient évocateur à l'oreille du jeune auditeur. Cette tâche incombe surtout à Pierre Normandin, puis épisodiquement à Bernard Brisset Des Nos et à Guy Beaudry. La musique la plus employée est tirée des *Gymnopédies* de Satie. Tantôt attendrissante, tantôt dramatique, tantôt en sourdine pour accentuer le suspense.

C'est avec cette équipe que pendant 11 ans, à travers plus de 2800 épisodes, par des poursuites, des filatures, des expéditions tant au Québec qu'à l'étranger (Afrique, Indes et même sur la Lune, devançant ainsi Hergé, le créateur de Tintin) qu'André Audet alimente l'imaginaire des jeunes. À ce voisinage s'ajoute celui de l'annonceur qui résume les derniers faits de l'intrigue, donne son opinion, bonne ou mauvaise, sur les protagonistes. Il est à la fois pensée de l'auteur et garant du suspense. Même s'il délègue assez souvent son micro à un des personnages, à Zéphirin ou à un enfant par exemple, il reprend vite son rôle. Marcel Baulu occupe le premier cette fonction. Mais c'est à Alain Gravel que revient le titre d'annonceur de *Madeleine et Pierre* pendant plus de quatre ans. Puis Jean Lalonde tient la barre, à titre de remplaçant, et, jusqu'à la fin, Bruno Cyr la maintient.

Donc à 5 h 30 P.M. (comme on le disait à l'époque), le 14 mars 1938, l'annonceur Marcel Baulu clame:

> *La Compagnie Kellogg a maintenant le plaisir de vous présenter le premier épisode de* Madeleine et Pierre, *détectives. Transportons-nous au magasin général de Mont-Tranquille, petit village québécois.*

> *Pierre, marmonnant: Le bandit s'approcha lentement de la fenêtre. La famille était réunie autour de la table. Le père lisait son journal. Le bandit tapi dans l'ombre eut un sourire effrayant. Il sortit de sa poche un revolver. Sans pitié, il vise lentement le père en savourant sa vengeance... Mais, comme il allait appuyer sur la détente, une main s'empara de son revolver. Le bandit se retourna pour combattre cet ennemi qu'il ne s'attendait pas à rencontrer.*

> *Madeleine: Bonsoir Pierre*
> *Pierre: Ah, c'est toi, Madeleine!*
> *Madeleine: Tu n'as pas l'air d'être content. Qu'est-ce qu'il y a?*

GARÇONNETS et FILLETTES

MYSTÈRE!

AVENTURE!

ACTION!

Écoutez

"MADELEINE et PIERRE"

UN NOUVEAU PROGRAMME ENTIÈREMENT CANADIEN-FRANÇAIS

Tous les lun., mar., mer., jeu., à 5 h. 30 p.m.

A PARTIR DU LUNDI 14 MARS

CKAC, Montréal   CHRO, Québec

Tous les garçonnets et fillettes aimeront "Madeleine et Pierre". Quatre soirs par semaine, vous pouvez suivre leurs aventures intéressantes avec leur vieil ami le détective, dans le charmant petit village du Québec où ils habitent. Ne manquez pas d'être aux écoutes pour le premier programme, lundi prochain, afin de ne rien manquer.

Présenté par

THE KELLOGG COMPANY OF CANADA, LIMITED
Fabricants des Céréales Kellogg

La toute première publicité de *Madeleine et Pierre* présentée deux jours avant son entrée en ondes. (*La Presse* du 12 mars 1938, page 14).

Pierre :	*J'étais en train de lire un roman policier. Il est épatant.*
Madeleine :	*Oh. Montre-moi.*
Pierre :	*Non, c'est trop long.*
Madeleine :	*Prête-le-moi.*
Pierre :	*Ça va, laisse-moi finir la dernière page, je te le passerai ensuite.*
Madeleine :	*Finis tout de suite.*
Pierre :	*Je veux bien.*
Pierre :	*Le bandit se retourne pour combattre cet ennemi subit. Des yeux de feu rencontrèrent ses yeux. Livide, terrifié, le bandit reconnut l'agent X qu'il croyait avoir tué et qui se dressait devant lui comme le châtiment.*
Madeleine :	*Ça me donne la chair de poule.*
Pierre :	*Le bandit tenta vainement de reprendre possession de son revolver. Déjà l'agent X lui avait passé les menottes. Leurs ombres se perdirent dans la nuit. Autour de la table, le père lisait toujours son journal. Les enfants riaient et la mère tricotait sans se douter de ce qui venait de se passer à quelques pas de la fenêtre[1].*

Dès les premières paroles prononcées, l'enfant-auditeur est happé par l'insolite. D'abord, par l'événement bizarre qui lui est relaté. Puis par la

---

1. Texte original de *Madeleine et Pierre*, épisode n° 1.

voix des deux premiers personnages : deux enfants de 9 et 11 ans. La suite de leur conversation est un aveu. D'entrée de jeu, Pierre fait part à Madeleine de son but premier : « être comme » son oncle Émile, détective à la retraite. Leur quiétude actuelle est semblable à celle de la famille fictionnelle de Maurice Leblanc (l'auteur d'Arsène Lupin) : rien ne transpire encore des injustices ourdies autour d'eux. Pourtant un vol vient d'être perpétré chez le maire de Mont-Tranquille, Monsieur Daoust. Le maire étant vu, à l'époque, comme l'autorité locale. En s'attaquant à ce notable, c'est à toute la municipalité que les arnaqueurs s'en prennent. Et voilà leur quotidien bouleversé. Tous les forfaits sont autant d'instabilités auxquelles il leur faut remédier. Madeleine, Pierre et tous les enfants-personnages s'unissent donc afin d'élucider *Le Mystère du Coffre-Fort*, le tout premier titre d'une longue série, afin que justice soit rendue.

Alors s'organise tout un monde où les références policières, la terminologie spécifique de la criminalité, les préjugés, les niveaux de classe deviennent processus d'observations, d'hypothèses, de spéculations tant pour les enfants-personnages que pour les enfants-auditeurs. C'est un jeu exaltant. À bien des niveaux.

À quelques exceptions près (la lecture du livre par Pierre, ou encore le récit d'une aventure), le passé est très peu utilisé. Le futur ne sert qu'à mettre en valeur le désir de chacun de parvenir au but qu'il s'est fixé. Le présent est roi et maître. Chaque quart d'heure d'audition correspond aux vingt-quatre heures de l'auditeur. Le lundi est le lundi pour tous. Le mardi est le mardi et ainsi de suite.

Choix judicieux qui enclenche maintes possibilités de progressions, d'évolutions régulières, réelles. Pour y parvenir davantage, quelques adultes : l'oncle Émile, Bom Guillet, Monsieur de la Roche entourent les enfants en les informant et les motivant. Mais ce sont ces derniers (les enfants) qui agissent.

> Les enfants ne deviennent pas policiers par volonté, mais par hasard et par nécessité. C'est le rôle du roman d'aventures de rendre vraisemblable le passage des enfants dans un univers interdit : celui des adultes où ils ont grandi, *initiés* qu'ils sont par une épreuve qualifiante et glorifiante[2].

Le réel et le merveilleux s'entremêlent dans une folle ronde autour de la découverte de la nature humaine ambiguë et fascinante.

---

2. Escarpit, Denise, *L'Enfant, l'Image et le Récit*, p. 95.

Titres des premiers épisodes

1938   *Le Mystère du Coffre-fort*
        Le Cirque
        Les Scouts
1939   *Le Trésor du Corsaire*
        Les Mines d'or d'Abitibi
        Le Mont du Mystère (radium)
        Jacqueline, la petite aveugle

L'émission reste à l'horaire tout l'été.

Voici la liste des personnages et interprètes du radio-feuilleton *Madeleine et Pierre*

Madeleine (14 ans) :	Adrienne Samuel, puis Renée David
Pierre (15 ans) :	Jacques Bélair
Oncle Émile :	François Bertrand
Oncle Jean :	Rolland D'Amour
Ti-Coune St-Amour :	Shirley Bruce (Paulo)
Zéphirin :	Jean-Marc Audet
Bom Guillet :	Jean-Marc Audet

Georges St-Amour :	Adrien Villandré
Royal :	Pierre Gravel
Gaston :	Guy Hogues
Gaétan De la Roche :	Arthur Groulx
Claire :	Claire Boucher (Madame Jean Drapeau)
Sergent Dubé :	Jacques Beaugrand-Champagne
Père Missionnaire :	François Lavigne
Josette :	Lucille Laporte
Marguerite :	Marjolaine Hébert
Marie-Reine :	Estelle Piquette
Aigle Blanc :	Rolland D'Amour
Fils Blanc :	Alain Gravel
Pierrot Latulippe :	Pierre Thibault
Poléon :	Roland Chenail
Monique :	Arlette Gagnon
Coco :	Gisèle Roland
Louison :	Jacqueline Jollet
Capitaine-Frise-la-Mort :	Fred Barry
Roger Morel :	Jean-Louis Garon
Louis Morel :	Julien Boisvert

Nénesse :	Jean-Marc Poliquin
Bébette :	Madeleine Laliberté
Fréde :	André Neveu
Bazouf :	J.G. St-Germain
Julien Morel :	Robert Gadouas
Désiré :	Pierre Gagnon
Benoit Morin :	Armand Luguet
Anita :	Madeleine Touchette
Dédé :	Georges A. Paquin
Riquette :	Lise Lasalle
Bibi :	Louis Rolland
Madame St-Amour :	Juliette Béliveau
Monsieur St-Amour :	Camille Ducharme
Jimmy :	Gaétan Labrèche
Détective Jackson :	François Lavigne
Suzette :	Michelle Thibault
Antoine :	Pierre Dagenais
Betty :	Armelle Penverne
Marc :	Benoit Fauteux

Des artistes d'expérience viennent y tenir des rôles temporaires :

Marthe Thierry
André Treich
Teddy Burns-Goulet
Adjutor Bourré
Gisèle Willet
Jacqueline Montclair
Denise Pelletier
René Verne
Jacques Auger
Bruno Paradis
Albert Duquesne
Madeleine Cardin
J. René Coutlée (rôles de méchants personnages)
Nathalie Naubert, à 3 reprises
Gérard Delage, à 2 reprises
Monique Miller ne joue pas dans cette émission, mais c'est à elle qu'est confiée la tâche de remettre les textes aux comédiens.

Rolland D'Amour, en plus de l'oncle Jean, a plusieurs rôles épisodiques dont la plupart ont l'accent étranger. C'est si l'on veut le « Miville Couture » des jeunes.

Au mois d'août 1938, le radio-feuilleton *Madeleine et Pierre* poursuit ses aventures sur les ondes de CKAC, avec un changement définitif de son horaire : 5 h 45 P.M. marque désormais le signal du grand ralliement pour des milliers d'enfants (Pour ceux de Québec, CHRC les convie à 5 h 30). Comme nous faisons un saut dans le passé, mieux vaut se conformer à l'horaire de l'époque. Alors les jeunes baissent la voix et augmentent le volume de la radio. À l'heure du souper, plusieurs l'écoutent avec la famille réunie autour de la table. D'autres se regroupent à trois ou à quatre. Les plus solitaires se vautrent dans leur fauteuil favori et collent l'oreille à l'immense poste. Le moment est grave. Il n'appartient qu'à eux.

L'oncle Émile, le grand détective à la retraite, incarné par François Bertrand, cède sa place à l'oncle Jean. Ce jeune à la voix d'or doit quitter son emploi à CKAC pour CBF. C'est à Rolland D'Amour que le rôle de l'oncle Jean est dévolu. Jean est le frère d'Émile qui désormais consacre sa vie à rédiger ses mémoires. Ancien explorateur, vétéran de la Première Guerre, il possède un vaste laboratoire qui fait la joie et l'apprentissage des

L'indicatif musical de Madeleine et Pierre

Air : « Trois Jeunes Tambours »

Les aventures de Madeleine et Pierre
Les aventures de Madeleine et Pierre
Et ran et ran et ran pataplan
Sont celles que je préfère

Y en a des gaies et d'autres sérieuses
Y en a des gaies et d'autres sérieuses
Et ran et ran et ran pataplan
Et des mystérieuses[3]

---

3. *Trois Jeunes Tambours* est une chanson dite de « marche » datant de la première moitié du 18ᵉ siècle. Si elle est encore connue à travers le monde, son auteur reste pour tous un inconnu.

diverses sciences du Club Madeleine et Pierre. Ce Club est né de l'initiative de l'auteur André Audet et non de Kellogg cette fois, puisque la colonie d'enfants de *Mont-Tranquille* s'est auparavant dotée d'un chef, Pierre, et d'une vice-présidente, Madeleine. Là, comme dans la plupart des groupes, n'y entrent que les initiés. C'est-à-dire ceux qui se sont surpassés, soit par la réussite d'un examen difficile (Roger) ou encore par le sauvetage d'un autre (Madeleine). Au sein du Club, tout n'est pas que sucre et miel, au contraire, des conflits éclatent, des rivalités se dressent, des angoisses et des doutes s'engendrent. Ces moments d'interaction entre les enfants-personnages permettent d'acquérir des connaissances sur soi d'abord, sur les autres ensuite, de se faire des opinions, d'imiter (ou pas), bref de s'affirmer. Ce qui ne va pas sans répercussions sur le jeune auditeur.

Le microcosme fictionnel qu'est le Club Madeleine et Pierre s'élargit par la fondation du Club des Aventuriers, celui du public. Les conditions d'admission y sont moins rigides, mais requises quand même. Et c'est la première introduction (et non l'unique) du publicitaire Kellogg dans la vie des jeunes.

Il leur est recommandé d'envoyer une lettre K extraite d'une boîte de Rice Krispies ou de Corn Flakes, de la coller sur un papier et d'y exprimer en quelques lignes leur désir de devenir membres des Jeunes Aventuriers.

Ils complètent par leur nom et adresse et acheminent le tout à Madeleine et Pierre au soin du poste d'où parvient l'émission.

Plus de 2000 enfants y adhèrent.

La compagnie publicitaire avec ses grosses lettres rouges exerce un pouvoir certain sur le public juvénile. D'autant plus que l'indicatif musical est maintenant précédé de l'épellation « K-E-L-L-O-G-G, KELLOGG » par les personnages-chanteurs.

Ce procédé publicitaire de la compagnie de céréales enfreint-il l'autonomie des enfants-auditeurs (comme plusieurs l'ont écrit) ou exerce-t-il plutôt une influence positive, un premier pas vers la solidarité, l'intégration, le devenir social de l'enfant !

Quelques mois plus tard, en octobre 1940, *La Marmaille*, radio-feuilleton de Jean Desprez écrit pour un jeune public, fait son entrée sur les ondes de CBF. L'émission n'est pas commanditée. Pourtant, dès les premières semaines, deux clubs se forment, un pour les Juniors, un pour les Seniors. Un « bouton » monté sur épingle est offert à quiconque veut devenir membre. Les lundis, mercredis, vendredis à 6 h P.M., un monde d'enfants (la plupart des élèves de Madame Jean-Louis Audet) gravite autour de comédiens plus âgés. Des conseils de sécurité sont donnés en fin d'émission.

Les enfants-auditeurs ne sont plus passifs, ils participent. Ceux de *Madeleine et Pierre* sont membres d'un grand club qui va s'élargissant. Ils forment une grande famille. Une famille qui se rapproche de celle qui revient chaque soir sur les ondes de CKAC. Raison de plus pour la connaître davantage. C'est ainsi qu'après des centaines de requêtes, *Radiomonde* leur présente un montage (restreint) de leurs jeunes vedettes, le 25 octobre 1939.

Peu à peu, l'univers de *Madeleine et Pierre*, quoique fictionnel et radiophonique, n'est plus tout à fait celui de l'invisible. Pour quelques privilégiés, les enfants-personnages peuvent être observés, lors de certains enregistrements, au troisième étage du poste CKAC, à travers une large baie vitrée. Leurs voix prennent forme mais la distance est encore grande.

L'un des personnages porte une casquette. Les auditeurs le reconnaissent grâce à son juron « casquette ! », c'est Shirley Bruce. Pendant les 11 années des *Aventures de Madeleine et Pierre*, son nom de comédienne sera Paulo Bruce. Toujours, l'interprète est vêtue à la garçonne, gardant secrète jusqu'à la fin son identité féminine. Son rôle de Ti-Coune est riche en péripéties de toutes sortes et le jeune public l'adore. Ce qui est méconnu, c'est que la jeune Shirley (de son vrai nom) est pauvre financièrement mais riche de talents et André Audet s'organise pour que la trame narrative soit souvent axée sur elle. Ainsi mise en lumière, et plus longtemps, elle gagne davantage de sous.

Dans la réalité des enfants-auditeurs, même s'ils sont trop jeunes pour comprendre la façon et les raisons de l'Allemagne d'envahir la Pologne le 1er septembre 1939 et que, 9 jours plus tard, c'est leur pays, le Canada, qui déclare le guerre à l'Allemagne, ils l'apprendront par la voix de leurs personnages favoris. Cette réalité se vit de tous côtés puisque les autres radio-feuilletons, ceux des adultes, abondent en situations clandestines et, bientôt, en propagande. Le paisible village de *Mont-Tranquille* n'est pas épargné. L'interdiction de divulguer toute information secrète, nuisible au pays, tisse non seulement la trame des aventures mais se matérialise, au grand plaisir de l'auditoire, par un décodeur secret. C'est une petite règle de carton chiffrée qui « enfiévrait les auditeurs-détectives », rappelle avec émotion Pierre Paquette[4]. Ici, le jeune public s'introduit directement dans la fiction, au même titre que les personnages.

---

4. Émission télévisée, *Le Temps de Vivre*, 1977.

—ACTUALITÉS
—PROGRAMMES

CKAC

AUJOURD'HUI

Après-midi

4:30—Les événements sociaux.
4:45—CKAC ce soir.
5:00—L'heure du Thé.
5:15—Le monde féminin.
5:30—Variétés instrumentales.

5:45—Madeleine et Pierre.

Au cours de ce programme, on verra que l'homme que l'étrange Jeanne Leroy a rencontré se nomme Maurice Verdier. Ce renseignement a été fourni à l'oncle Jean par l'agent secret X-3. Vous avez sans doute hâte de savoir qui est ce Maurice Verdier. Est-ce un espion qui veut voler les plans du vieux savant Gaétan de LaRoche? Nous le saurons bientôt. Voici aussi, le message secret de ce soir, message adressé à l'inventeur par des inconnus:

12-1 25-1-2-1-21 20-5-17 14-1
18-5-22-11-12 13-11-18-16-1-14 5
13-11-17 4 19 17-1-18-7-17, 12-11-
26-17 14-1 20-5-1-18-11-12-17 26-
12 13-1-7-14-14-1-26-18 20-18-7-23.

Que signifie ce message?

a) La sagesse éternelle qui est engendrée dans le sein du père...'
b) Il n'a pas toute la terre".
Voilà une émission à ne pas manquer.

6:30—Nazaire et Barnabé.
6:45—Les nouvelles de chez nous.
7:00—Amos'n Andy.
7:15—Light up and listen club.

7:30—Autour des buts.

On entendra M. Oscar Major, journaliste, au cours de l'émission "Autour des Buts". Tous les sportifs voudront écouter cette émission.

7:45—Protégez-vous:

Au cours de cette émission, on entendra une émission spéciale mettant en vedette M. Emile Gour, accompagné au piano par M. Conrad Saint-Amant.

Voici les détails de cette intéressante émission: "O Vos Omnes". Introduction aux Sept Paroles du Christ, de Théodore Dubois; "La Procession", de Cesar Franck; "Jerusalem", de Charles

Un des rares articles publicitaires reproduisant le message secret radio diffusé. (*La Presse* du 6 avril 1939, page 18).

Mont-Tranquille, sur les rives du Saint-Laurent, organise chaque année des régates. Tout ce qui concerne les activités nautiques tout autant qu'équestres (le ranch de M. de la Roche) sert d'investigations mais aussi d'apprentissage des différentes terminologies. Le savoir-dire juste d'un personnage se communique à un autre nanti d'un savoir-dire erroné. Le détenteur de ce nouveau savoir le transmet à un troisième. Et ainsi de suite.

Le temps de Noël, celui du Vendredi saint et autres moments religieux tout autant que les traditions (la Saint-Valentin, la cabane à sucre, etc.) créent des microstructures au sein de la trame narrative, prolongeant le suspense et retardant le dénouement de l'histoire. Ainsi en est-il de *Au Pays des Esquimaux*.

Avec 1941 arrivent la promotion des timbres et certificats de guerre. Chaque individu est appelé à faire sa part. La victoire en dépend. Au *Conseil national de l'Éducation*, M. Hector Perrier enjoint tous les professeurs à renseigner leurs élèves sur la situation politique et le contexte de guerre.

La fidélité patriotique s'affiche partout. Les auteurs de romans-feuilletons, rencontrant un public très large, n'hésitent pas à ourdir leur trame narrative de duplication d'identité, de traîtres comme *Rue Principale* (1937-1959), de désirs de liberté et de justice : *Les Secrets du Docteur Morhange* (octobre 1940-1947) et notamment *La Métairie Rancourt*

(15/03/1940- 02/01/1942) conçu par Adolphe Brassard et encadré par le Comité des Finances de Guerre (Emprunts de la Victoire).

Le petit monde de *Madeleine et Pierre* est lui aussi sous cette emprise. Le paisible village de *Mont-Tranquille* est devenu une ville industrielle. Les gens y viennent de partout et en grand nombre. L'espace fictionnel est menacé, le danger vient d'ailleurs. Les enfants-personnages comme les enfants-auditeurs ont grandi, confrontés aux aléas de l'adolescence et ce qui bouillonne autour d'eux. Madeleine est devenue plus téméraire et rassembleuse. Infirmière, c'est elle qui dirige le sanatorium de l'endroit, bâti grâce à l'argent de Bom Guillet, à la suite de nombreux cas de fièvre typhoïde. Elle et Pierre ont déjà reçu quelques médailles pour leur dévouement et leur bravoure. Celui-ci, plein d'initiatives, responsable, porte déjà la marque du héros. Des transformations majeures se sont opérées aussi chez les autres enfants. Le savoir des adultes qui les entourent ; l'oncle Jean, Bom Guillet et même Zéphirin leur servent de modèles à tous les niveaux.

Le Concours des Inventeurs
Le Vol à l'École
Sabotage à Mont-Tranquille
Frise-la-Mort

La Course Halifax-Vancouver
La Ferme des Saint-Amour
Jimmy et le Vieux

Parmi tous ces titres des aventures de 1941, le 3ᵉ mérite d'être pris en considération. Il suit exactement la réalité tout comme le sera la narration d'après-guerre, en 1945.

En ce premier semestre de l'année 1941, *Mont-Tranquille* vit sous la panique. La digue cède. L'inondation cause des dégâts dans les maisons. L'épidémie de typhoïde tant redoutée est présente. Évidemment, la Centrale d'Énergie de l'usine des munitions s'est arrêtée. Des traîtres, des espions rôdent. Et des feux de forêt s'allument tout autour du village. La Gaspésie flambe. Et comme si cela n'était suffisant, une femme étrange est suivie. Après plusieurs rebondissements, Martha (on peut dire qu'elle est inspirée de l'espionne Mata Hari) est enfin démasquée. Elle n'avouera jamais. Mais elle sera emprisonnée quand même. Sauver le bien public. Sauver les gens d'ici devient le motif d'actions de tous les personnages. Chacun a ses responsabilités et, tels des scouts toujours prêts, les plus jeunes servent d'agents informateurs. Chaque indice trouvé est rapporté, examiné, disséqué. Tout est mis en œuvre pour trouver les vrais coupables.

Leur tâche ne s'arrête pas qu'au contexte fictionnel, elle nécessite une ouverture sur la réalité. Or l'une des formes de solidarité collective, de participation active, est celle de la Récupération. Dans leur famille, à l'école, dans la rue, les enfants-auditeurs sont sollicités par les Services nationaux de Guerre. À *Mont-Tranquille*, les jeunes le sont aussi. Le 30 avril 1941 lors du 750ᵉ épisode, Zéphirin, Pierre et Ti-Coune s'entretiennent ainsi :

Zéphirin : *Mes belettes, on va organiser ça au coton.*

Pierre : *Oui, nous allons fonder un comité local de récupération. Tous les enfants du village et des alentours nous apporteront les rebuts et on fera changer ça en armes et en munitions.*

Ti-Coune : *Mais il y a des affaires que je ne comprends pas là-dedans. Comment peut-on faire des munitions avec des vieux os ?*

Zéphirin : *Voyons, gamin de Mont-Tranquille, tu sais pas qu'avec de vieux os, on fait de la colle pour les avions et de la glycérine pour les explosifs ? Comme le gouvernement l'a dit : « Si chaque ménagère récupérait deux onces de vieux os par semaine, le Canada pourrait en transformer dix millions de tonnes par année en matériel de Guerre. »*

Ti-Coune : *Casquette ! Faudrait expliquer ça à tous les petits gars et à toutes les petites filles du village. Ils vont nous aider surtout sur le rapport de la ferraille. Toutes nos bébelles mises ensemble feraient*

un joli tas de ferraille pour faire des obus ou ben des canons.
Aïe[5].

Madeleine se voit confier la charge de ce nouveau comité. Parmi les collectes effectuées, celle des journaux fournira l'indice majeur vers la reconnaissance du coupable. À la finale du 772e épisode, l'annonceur s'adresse ainsi aux jeunes auditeurs :

> *Je tiens à vous avertir que Madeleine, Pierre et Ti-Coune paraîtront ce soir à la grande manifestation du Parc Lafontaine et parleront aux jeunes de L'Emprunt de la Victoire et de bien d'autres choses*[6].

La conviction de Ti-Coune, augmentée par l'intensité de sa voix d'enfant ne peut que toucher l'oreille d'un autre enfant, plus que la parole de l'adulte, et l'amener ainsi à faire sa part. Les deux mondes se fusionnent. Une fois de plus, Ti-Coune, huit épisodes plus tard, le démontre :

> *Ti-Coune :*   *À part de ça, je vous demande une autre grâce. Faites que monsieur Desrochers puisse arrêter tous les espions qui menacent notre beau pays. Vous savez le mal que les espions ont fait de l'autre*

---

5. Texte original de *Madeleine et Pierre*, 30 avril 1941, épisode n° 750.
6. Texte original de *Madeleine et Pierre*, 30 mai 1941, épisode n° 772.

côté. C'est déjà sans foi ni loi qui reculent devant rien. Faites que
monsieur Desrochers, il les empêche de saboter notre beau pays,
qu'il travaille d'un océan à l'autre pour gagner la guerre. Je vous
demande que ça mon Dieu[7].

Afin de pondérer les tensions, tant du côté des personnages que de celui des auditeurs, rien de mieux que la musique. Au moment où l'abbé Charles-Émile Gadbois publie son 4e album, les commanditaires Kellogg sollicitent le directeur de *La Bonne Chanson* pour préparer un chansonnier exclusif aux membres de *Madeleine et Pierre*. C'est ainsi qu'en mars 1941 naît le premier de trois, composé de 60 chansons canadiennes et françaises.

La vie n'en continue pas moins et les jeunes de partout, notamment de *Mont-Tranquille*, saisissent chaque occasion pour fêter et se réjouir. C'est le 3e anniversaire du Club des Jeunes Aventuriers et pour souligner l'événement, rien de mieux qu'un Album de photos. Évidemment, grâce aux « bons messieurs Kellogg », les auditeurs peuvent recevoir un petit album-souvenir à domicile. Dans celui-ci, des espaces sont laissés vacants afin que puissent être insérées les photos appropriées (prises par Jean-Marc Audet)

---

7. Texte original de *Madeleine et Pierre*, 11 juin 1941, épisode n° 780.

Premier chansonnier *La Bonne chanson* publié en 1941 (Archives de l'auteur).

à la description. Des dessins de Madame Louise Cabana, que vous retrouverez au sein de l'équipe lors des spectacles publics de la jeune troupe, entourent chacune d'elles. Ce qui oblige les enfants à identifier les personnages et s'initier à la photo. Et ce, à raison d'une par semaine. De très courts passages sur l'Effort de Guerre, la Récupération, sur l'organisation d'un club local dont plusieurs existent déjà, le mode de fonctionnement d'une assemblée (très souvent demandé), ainsi qu'une annonce de la compagnie Kellogg constituent un ouvrage complet en soi.

Voici, en résumé, le fonctionnement d'une assemblée : elle se compose d'un club local ayant à sa tête un chef de groupe, un vice-président, un secrétaire et deux conseillers. Le chef de groupe a pour fonction de convoquer l'assemblée au moins une fois par mois. Et celle-ci doit débuter et se terminer par le thème musical de *Madeleine et Pierre*. Chaque membre est tenu de montrer au secrétaire sa carte de membre et lui donner le mot de passe pour participer. On y discute d'expériences et de découvertes de quelques-uns afin d'en faire bénéficier tous les participants. Ou encore un thème est proposé par le chef du groupe et approuvé par les membres pour une prochaine assemblée.

Mont-Tranquille possède maintenant son port. Les jeunes recyclent un vieux navire qu'ils surnomment *La Belle Marinière*. Toutes sortes d'aventures les attendent et le *Club des Cadets de la Marine* voit le jour sous la direction du personnage Louis Morel. Les divers clubs fondés, même s'ils regroupent les mêmes enfants-personnages, ne poursuivent pas les mêmes buts, sont administrés différemment et permettent aux jeunes auditeurs plus d'une exploration.

Titres de 1942

Adoption de Jimmy
La Station d'Eau minérale
La Souris d'Hôtel
Un Vol
Le Cirque Zobiko
Le Mystérieux M. Gaune
Les Puits de Pétrole
Lac Aotaha, Lac de la Roche
Tribu de l'Aigle Blanc
Les Faussaires

Le gouvernement fédéral annonce la tenue d'un plébiscite ayant pour sujet la conscription. Les efforts de ralliement de Simonne et Michel

Chartrand, entre autres, portent fruits. Le 27 avril 1942, le Québec vote « Non » à 72 % mais il est battu par le Canada anglais qui l'emporte par le « Oui » à 80 %.

Si le manque d'emploi incite certains à s'enrôler, d'autres trouvent mille et une excuses pour enfreindre la loi, voire déserter.

Le célèbre caricaturiste Chartier évoque ce refus, à l'apanage de *Madeleine et Pierre*. Un homme presque chauve, timide à l'excès, roulant son chapeau mou, se présente au bureau d'enrôlement. À l'officier, il confie : « Je m'enrôlerais bien, mais j'ai peur que ça me fasse manquer la série radiophonique des aventures de Madeleine et Pierre[8] ! »

CKAC célèbre son 20e anniversaire en août 1942. Deux mois plus tard, après avoir été fêté et reconnu comme « l'annonceur » de *Madeleine et Pierre*, le jeune Alain Gravel, recruté, quitte le Canada. Quelques jours avant les résultats du plébéciste, les enfants-personnages de *Madeleine et Pierre* fêtent leur 1000e émission le 21 avril et rendent hommages à leur cher Alain. Puis, sans l'emprise de la Compagnie Kellogg, mais plutôt grâce à leur créateur André Audet, la jeune troupe fête au fameux restaurant de la rue Labelle Chez Pierre en compagnie de leur nouvel annonceur Jean Lalonde.

---

8. Chartier dans *Radiomonde*, 8 août 1942, page 3.

Et le travail acharné des jeunes détectives reprend sans délai. Dans l'intrigue de *La Station d'Eau minérale,* les jeunes acquièrent de nouvelles connaissances. En plus de l'astronomie, enseignée par M. de la Roche, cette fois c'est la peinture, un tableau du peintre Maxime Barbeau ayant disparu. L'inscription de cet art dans la trame fictionnelle ne m'apparaît pas comme le fruit du hasard. Quand la troupe au sommet de sa gloire montera sur scène, l'apport du peintre Alfred Pellan fera couler beaucoup d'encre. D'ici là, personnages et auditeurs s'imprègnent des rudiments des arts et des sciences de la scène.

Les *Cadets de la Marine,* dont il fut question antérieurement, en ce 13 juin 1944 préparent leurs vacances. À leur ardeur habituelle s'ajoute une excitation sans bornes. Une haute personnalité québécoise doit arriver bientôt et passer l'été avec eux. Tout est prêt pour le recevoir dignement. Sans relâche, Madeleine et le chœur de *Mont-Tranquille* ont mis au point une toute nouvelle chanson. Aujourd'hui, c'est la première. Et le choeur est accompagné par celui qui en a composé la musique, leur invité tant attendu : ANDRÉ MATHIEU. Le jeune virtuose québécois est en chair et en os à *Mont-Tranquille.* Ne pouvant laisser passer une telle occasion, voici, écourtés, les propos échangés en cette fin d'intrigue :

Marguerite :	*On a fait accorder le piano, monsieur Mathieu, pour qu'il soit digne de vous...*
André :	*Je vous remercie, ma belle Marguerite. Pour les musiciens, il n'y a rien de pire qu'une note fausse.*
Marguerite :	*Hé ! Hé ! Hé !*
Ti-Coune :	*J'to dis qu'elle lui fait les yeux doux.*
Zéphirin :	*Catastrophe[9] !*
André :	*Bonjour, Zéphirin. De bonne humeur, ce matin ?*
Zéphirin :	*Ah oui, j'suis toujours de bonne humeur, moi... Catastrophe !*
André :	*Tant mieux, tant mieux. Alors, on répète ?*
Marguerite :	*Ah oui, mon cher André. On va répéter tant que la chanson ne sera à point.*
André :	*Vous êtes charmante, ma belle Marguerite.*
Marguerite :	*J'adore les musiciens, surtout ceux qui composent...*
Madeleine :	*Attention, tout l'monde... avec entrain.*
Chœur :	*V'là les Cadets d'la Marine*
	Des p'tits gars qu'ont les yeux clairs,

---

9. Il faut retenir l'expression « Catastrophe » de Zéphirin, un exemple typique de jeux de mots, partie intégrante des dialogues. Non seulement ce terme est-il le juron du mécanicien, patenteux et futur ingénieur, mais il se veut expression d'un bouleversement. Le cœur de Zéphirin ne bat que pour Marguerite. Cet amour le rend fou de jalousie, chaque fois qu'un homme l'approche.

Qui aim'nt le ciel et la mer.
V'là les Cadets d'la Marine.
Curieux de voir l'univers,
V'là les Cadets d'la Marine,
Hardi les gars, en avant!
Et rions des ouragans!
Ha! Ha! Ha! Ha! (trois fois)

Nous sommes tous copains pour la grande aventure
Dans le ciel et le vent, le soleil ou la nuit.
Vers l'inconnu fuyant sous nos yeux éblouis.
Nous cinglons en chantant dans la haute mâture.

V'là les Cadets d'la Marine
Des p'tits gars qu'ont les yeux clairs,
Qui aim'nt le ciel et la mer.
V'là les Cadets d'la Marine.
Curieux de voir l'univers,
V'là les Cadets d'la Marine,
Hardi les gars, en avant!
Et rions des ouragans.
Ha! Ha! Ha! Ha! (Trois fois)[10]

10. Texte original de *Madeleine et Pierre*, 13 juin 1944, épisode n° 1661.

Six années de bourlingages, de péripéties, de rencontres ont fait des enfants de *Mont-Tranquille* des adolescents. Ce n'est plus « le vert paradis des amours enfantines », comme disait Baudelaire, c'est Cupidon, c'est Éros qui les poussent les uns vers les autres. Tout comme Zéphirin pour Marguerite, Pierre est amoureux de Madeleine. Des soupirs, des demi-mots, des remarques échangées entre eux, les quelques observations des autres ont convaincu tous les jeunes des sentiments profonds de Pierre envers Madeleine. Si Pierre a raté l'arrivée d'André Mathieu c'est qu'il est, encore une fois, en mission. C'est un « as de l'aviation canadienne ». Un certain lundi, le 19 janvier 1944, alors que Madeleine est abattue et s'ennuie de lui, la poste lui réserve une surprise :

Je pense à toi, Madeleine, à toute heure du jour. Cela me donne de l'énergie et du courage. Te souviens-tu de ce que je t'avais dit, un jour de départ que tes yeux étaient pleins de tendresse, et que j'emportais leur flamme dans mon cœur. Comme c'est vrai. Je vois toujours tes yeux. Ils parlent tout seul, plus que tous les livres qu'on pourrait écrire. Je sais que tu es là-bas et que tu m'attends, silencieuse et recueillie dans ton blanc costume d'infirmière... apportant la consolation aux petits enfants malades, infirmes, faisant comme chacun de nous ton devoir. Comme tout est plus lumineux et plus doux, lorsqu'on sait que l'on aime et que l'on est aimé. Ma petite amie d'enfance a grandi. Elle m'attend. Je pense à elle. Elle pense à moi... Il n'y a plus de distances. Les océans qui nous séparent n'existent plus. Plus rien n'existe que notre amour. Je t'écris tout cela dans le désert immense où nous avons atterri pour réparer le moteur de notre avion. Le soleil se couche. Quand cette lettre t'arrivera-t-elle? Je ne sais pas, mais si elle se perd dans l'eau ou dans le vent, l'eau et le vent t'apporteront mon message quand même. Celui qui t'aime, Pierre[11]...

L'annonceur, six mois plus tard, verbalise ce que tous pensent:

Madeleine et Pierre s'éloignent dans les rues de Mont-Tranquille en faisant des projets d'avenir[12].

Mont-Tranquille a, maintenant, son usine souterraine (300 pieds sous terre) de sous-marins dotée d'un ascenseur secret. Le développement de la ville nécessite un nouveau chemin de fer. Le contremaître est M. Belhumeur, le père de Roger. Et Ti-Coune Saint-Amour, le fils du fermier, obtient de grands résultats avec ses « Jardins de la Victoire ». Ce qui ne l'empêche pas pour autant de se cacher avec Bibi et Roger dans le bombardier de Pierre.

L'Afrique
Les Pygmées

---

11. Texte original de *Madeleine et Pierre*, 19 juin 1944, épisode n° 1665.
12. Texte original de *Madeleine et Pierre*, 26 décembre 1944, épisode n° 1756.

Le Pilote farouche
Soirs avec les héros de la Résistance complètent l'essoufflant menu de 1944.

1945. C'est avant tout la capitulation de l'Allemagne et la fin des hostilités en Europe. Le 8 mai, la Victoire est là. C'est jour d'armistice. Plusieurs corps de l'Armée canadienne rentrent au bercail sous les applaudissements, les étreintes : la foule est en liesse. Tous vantent leur courage indomptable. Ce sont nos héros.

La vie doit reprendre, même pour les familles qui ont perdu un être cher, et d'autres, ex-combattants, nécessitent des soins physiques et psychologiques. Le bilan est lourd. Encore une fois, c'est Ti-Coune qui dans ses mots adresse à Dieu ce que lui et les autres ressentent :

Mon Dieu, c'est encore moi, Ti-Coune, qui viens vous déranger. J'sais qu'aujourd'hui vous d'vez être ben occupé. Y en a tellement qui vous prient, tellement qui vous r'mercient. J'vous parlerai pas longtemps.

Vous êtes ben bon d'avoir protégé mon grand frère Jean-Paul qui est là-bas. J'vous en r'mercie du fond du cœur.

C'est papa et maman qui étaient contents d'apprendre la grande nouvelle que la guerre est finie en Europe.

À c't'heure, j'vous d'manderais de prendre bien soin de tous les p'tits enfants qui sont là-bas, qui ont pus de papa, qui ont pus de maman, qui ont pus de maison.

C'qu'ils doivent être fiers, par exemple, de voir que ceux qui les ont fait souffrir, ils sont écrasés.

Ils doivent oublier tous leurs malheurs, les p'tits Français, les p'tits Hollandais, les p'tits Belges, les p'tits Anglais, les p'tits Norvégiens.

S'y ont crié de joie comme j'ai crié depuis hier, ils doivent avoir d'la misère à parler aujourd'hui. Mais n'importe. C'est fini pour eux autres.

Prenez ben soin de tous ces p'tits gars-là, de toutes ces p'tites filles-là, qu'y mangent autre chose que du pain noir, qu'y dorment dans des bons lits.

C'est la Victoire pour eux autres comme pour nous autres, mon Dieu. On a tant prié pour la Victoire, on a fait chacun nos petits sacrifices pour la Victoire, et la v'là enfin toute rayonnante comme le visage de la Sainte Vierge. Merci, mon Dieu[12].

À *Mont-Tranquille*, Pierre revient de Hollande avec un bras cassé et deux médailles. L'usine de plaques d'acier dont on recouvre les sous-marins doit être protégée, prétexte idéal à une invention de l'oncle Jean : une caméra étanche. Ce qui signifie la naissance de nouvelles activités, de nouveaux

---

12. Texte original de *Madeleine et Pierre*, 9 mai 1945, épisode n° 1830.

efforts, de nouvelles connaissances, de nouvelles trames fictionnelles. Comme l'objectif de la Jeunesse étudiante catholique (JEC), en cette année 1945, est axé sur les études, chaque adolescent en incite un autre à accroître ses heures de « bonne étude » et obtenir des progrès dans ce domaine. Pour les adolescents-auditeurs, cet autre procédé d'imitation vaut davantage qu'un prêche familial, religieux, scolaire...

L'ordre des choses est loin d'être conforté. Ainsi « les bons messieurs Kellogg » veulent fidéliser leur jeune public pour l'automne suivant. André Audet, faute de poursuivre les aventures de *Madeleine et Pierre* durant l'été 1945, y pallie par l'introduction d'une émission estivale ayant nom *Chez l'Ami Zéphirin*, du lundi au vendredi à la même heure (6 heures moins le quart). Par l'entremise de ce futur ingénieur, de l'assistant de M. Desrochers, amiral des *Cadets de la Marine*, capitaine de la *Brigade Blanche* (club des skieurs) et amoureux de Marguerite, les auditeurs restent en contact avec les autres personnages même si la plupart, profitent de 13 semaines de vacances bien méritées. Entrevues, trucs et expériences scientifiques ainsi que période de questions obtiennent un franc succès. Des milliers de jeunes lui écrivent chaque semaine. Les textes de l'émission sont signés, cette fois, de la main d'Odette Oligny d'après les suggestions de Jean-Marc Audet (Zéphirin). Évidemment (avec Ti-Coune, Jimmy et Thérèse) il est félicité à l'automne de son exploit, sur les ondes de CKAC. La fierté de ce dernier est faible comparé à sa joie de revoir Marguerite avec un bouquet « des dernières fleurs de la saison ».

M. Esdras Minville, directeur de l'École des Hautes Études Commerciales, proclame haut et fort :

> Celui qui voit dans la richesse un instrument de puissance à mettre au service du bien commun remplit une fonction nécessaire et mérite la sympathie de toutes classes sociales[13].

Le Bom Guillet de l'émission *Madeleine et Pierre* a déjà consacré son argent à l'édification du sanatorium de l'endroit. Avec l'après-guerre, les œuvres de reconstruction des pays dévastés en sollicitent plus d'un. *Yvan l'Intrépide* est un de ceux-là. C'est le 8 octobre 1945 qu'il apparaît sur les ondes de CBF, dans le même espace-horaire que *La Marmaille*, elle aussi écrite par Jean Desprez. Le personnage d'Yvan porte déjà la marque du héros au moment où débutent ses nouvelles aventures. Il revient de guerre, chargé de médailles et de secrets. Sa femme et ses enfants ont péri dans un incendie, ce qui lui donne toute la latitude pour dépenser son énorme richesse. C'est le redresseur de torts, le grand justicier, le vainqueur de toutes

---

13. Citation extraite de l'émission *Voici Radio-Canada 1945*, diffusée le 23 mars 1986.

les batailles qui s'échelonnent entre le 6 octobre 1945 et le 30 avril 1954. À travers sa poursuite du Diamant Noir apparaissent, en filigrane, les opinions tranchées, les goûts, les projets de Mme Jean Desprez : conscientiser les jeunes, les sensibiliser à leur rôle d'aujourd'hui et de demain. Quant aux personnages secondaires, ils servent de faire-valoir à Yvan. Le nom des comédiens est souvent cité à la fin de l'émission et la moitié d'entre eux proviennent du studio de Madame Jean-Louis Audet (les autres de ceux de Sita Riddez, Camille Bernard, François Rozet). L'impact sur le jeune auditoire est palpable. Bien qu'il y ait pléthore de publications pour la jeunesse en France à cette époque, leur envoi est plutôt restreint sur notre continent. Les jeunes Québécois n'ont que quelques revues d'ici telles *L'Oiseau Bleu* et, plus récemment, *François* et *Stella Maris*. Les programmes, tels le *Questionnaire de la Jeunesse* et les *Savants de Demain*, d'ordre culturel uniquement, leur plaisent aussi. Mais la fiction, comme outil de divertissement et d'enseignement, revient avant tout à *Madeleine et Pierre*. Sans se soucier des conflits d'intérêt entre les deux postes, entre les deux auteurs, le jeune public, lui, n'a maintenant qu'une chose en tête : ses deux quarts d'heure quotidiens, aux antipodes l'un de l'autre, qui le rivent près du gros poste de radio. Et avec quelle délectation, vous, moi et tant d'autres, à 6 heures pile, tournions le « bouton ».

Titres des émissions de 1945 de *Madeleine et Pierre*

Histoire de Josette
Les Favreau
Les Saint-Amour
Le Trésor
Les Castors
Poléon, le Braconnier et Lucille
Lucille et sa Mère

À la reprise automnale le 1er octobre 1945 (épisode n° 1869) Pierre lit le journal qu'il a tenu lors du périple estival de *La Belle Marinière*. Il n'est interrompu que par les quelques réparties de son entourage. Même l'annonceur perd du terrain et disparaît complètement à trois reprises. Pierre a le premier rôle. Le suspense est à son paroxysme. Le temps est celui du passé; c'est la seule distanciation par rapport aux auditeurs.

L'histoire révélée est celle du *Trésor*, la quatrième de cette année. Ce n'est qu'à l'épisode n° 1877 que les personnages ayant vécu cette expédition reprennent leur rôle. Les retours en arrière sont finis. L'intrigue se déroule au présent. Hier redevient aujourd'hui. L'aujourd'hui des auditeurs comme le sont toutes les autres histoires de *Madeleine et Pierre*.

Même si Ti-Coune n'a participé à l'expédition que durant trois jours, son caractère fouineur lui a permis de découvrir, à la première escale, une roche plate couverte d'inscriptions mystérieuses. Louis en a pris douze photos et les a développées afin que l'oncle Jean les étudie. Devant vérifier ses vieilles cartes maritimes, il revient à Mont-Tranquille. Le cousin de Marguerite, Ti Coune, en profite pour débarquer et rejoindre Zéphirin au micro de CKAC pour l'été.

Les caractères gravés datent de 200 ans et indiquent qu'un trésor est enfoui à 75 pieds, à l'Île au Tonnerre, au large du fleuve Saint-Laurent. À la suite d'une erreur de jugement de l'oncle, les quatre plongeurs recrutés par lui complotent pour s'emparer du trésor qu'ils ont remonté. Six coffres regorgent de pierres précieuses, de bagues, de colliers, de lingots d'or. Alors s'organisent dans les deux camps machinations et manipulations de toutes sortes. La mutinerie éclate. La plupart des personnages sont entassés dans un canot de sauvetage et isolés sur l'Île au Tonnerre. Pierre et Bibi sont prisonniers des quatre robustes plongeurs.

Grâce aux nombreuses bricoles qu'il traine avec lui, Bibi se joue des ennemis et délivre Pierre. Vous êtes sûrement avides de connaître le dénouement de cette histoire. Voici le texte original du 23 octobre 1945 et du 24 octobre 1945, reproduit en fac similé d'après le texte d'André Audet.

n° 1885

MARDI, 23 OCTOBRE, 1945

« MADELEINE ET PIERRE » KELLOGG CO.

TRANSITION MUSICALE (myst.)
ANNONCEUR. — Et voici le 1885ᵉ épisode des aventures des membres
du club « Madeleine et Pierre » (pause). Pierre continue de
nous faire la lecture de son journal.
Écoutons-le (léger f-o).
MUSIC OUT
PIERRE, lisant — J'avais réussi à me glisser dans la cabine de mon oncle
Jean et à ouvrir le panneau secret. Pendant que les bandits trans-
portaient les coffres sur le pont, Bibi faisait le guet, et je remplissais
des bouteilles d'un certain liquide et de certains produits chimiques
dont le voulais me servir pour capturer Jim et ses complices
(pause). Tout allait bien, et nous attendions, Bibi et moi, que les
bandits soient tous réunis sur le pont, pour agir… (f-o).
MOTEURS DE LA BELLE MARINIÈRE UP & UNDER

JIM — Hé! Hé! (il ricane). Les six caisses remplies d'or et d'argent sont sur le pont maintenant, mon Baquet, et nous ne sommes pas à un mille du bord!

BAQUET — Le jour se lève, Jim (il tremble). On voit la patrouille là-bas.

JIM — Braillard.

BAQUET — Y a quasiment pus de brouillard. — Ces gars-là, y z'ont des longues-vues. Y vont nous voir nous pousser dans la chaloupe à moteur.

JIM — Crains pas. Ça nous prendra pas cinq minutes pour nous rendre au bord, mon Baquet. Ensuite, on va s'trouver à être caché par La Belle Marinière pendant un certain bout de temps.

BAQUET — Y vont mettre des chaloupes à la mer. Y vont courir après nous autres.

JIM, entre ses dents, durement — On a des revolvers, une mitrailleuse. On peut se défendre (pause). À part de ça on pourra se pousser facilement. — On n'a rien qu'à barrer la route là-bas et à s'emparer d'un camion.

BAQUET — Des camions, il en passe pas à toutes les cinq minutes.

JIM, hurlant — Tais-toi donc, by gully. — Vite, on va prévenir Fernando que tout est paré, mon Baquet. Les deux autres nous attendent près de la chaloupe à moteur. Suis-moi, on va monter dans la cabine du pilote.

MONTER ESCALIER DE FER (vite, et fort)

PORTE DE CABINE OUVERTE

JIM — Fernando, mon garçon, tout est prêt ! Maintenant, tu vas me donner un coup de main avec Baquet. On va casser le gouvernail. J'ai un marteau. Prends c'te hache-là.

BRISER LE GOUVERNAIL À COUPS DE MARTEAU & DE HACHE

JIM, riant — Ha ! Ha ! Ha ! (à flic).

BAQUET — J'ai coupé les fils, tout.

JIM — Parfait. — Une fois qu'on se sera poussé, Pierre et le jeune Bibi pourront pus rien faire.

BAQUET — Y a le télégraphe aussi.

JIM — Ah oui, oui, oui. V'nez briser ça

PLUSIEURS PAS & TELEGRAPHE RÉCEPTEUR (en fade-in)

BAQUET, à flic, — Tiens, le télégraphe marche. On nous envoie un message.

JIM (déchiffrant télégramme) -- Rendez-vous... rendez-vous. Capitaine Lemieux.

BAQUET (terrifié) -- Le capitaine Lemieux. Bon sang, c'est la patrouille là-bas.

JIM — On va y fermer le caquet. Tiens.

IL BRISE L'APPAREIL DE T.S.F. & ARRÊT TÉLÉGRAPHE RÉCEPTEUR

JIM, à flic, — Maintenant, les boys, en vitesse! Perdons pas une minute!

<u>TRANSITION MUSICALE</u> (dram. & rapide)

BIBI — Pierre! Pierre!

PIERRE — Ne crains pas, Bibi. Je les vois. Ils approchent! Dans quinze secondes, ils seront tout près.

BIBI — Donne-moi une couple de bouteilles, Pierre. J'veux en briser, moi aussi.

PIERRE — C'est bon, Bibi. Mais jette-les vite, et ensuite couche-toi à terre. Ils vont tirer.

BIBI — J'vas les jeter par le hublot.

PIERRE — Moi j'vas ouvrir la porte de la cabine, juste assez pour voir. J'vas compter jusqu'à trois. À trois, on lancera nos bouteilles.

BIBI — C'est ça, mon Pierre! (Pause. Flic) C'est énervant!

PAUSE

PIERRE — On se sentait de même quand on faisait la guerre, juste avant d'attaquer. (Pause) Attention, Bibi.

Bibi — Ils sont tous là, bric-à-brac. Tous les cinq.

PIERRE — Jim, Baquet, Fernando, Alphonse et le mécanicien. Attends un instant. Je vais entrouvrir la porte.

PORTE OUVERTE DOUCEMENT (en grinçant un peu)

MOTEURS DU NAVIRE & VOIX DE JIM, BAQUET etc. off-mike

JIM, à flic, off-mike — Crains pas, Baquet, j'ai la mitrailleuse. Si Pierre se montre la tête, v'lan, j'vas le percer comme une écumoire, by gully.

ON CONTINUE DE PARLER

BIBI, à flic, tremblant — Pierre !

PIERRE — Shhhhh…

BIBI — j'attends ton signal.

PIERRE — Un instant, Bibi. — Jim se trouve à couvrir la cabine avec sa mitrailleuse. Y sait pas que nous sommes ici. Attends qu'il se retourne.

BIBI — Oui, oui.

ON PARLE TOUJOURS

BAQUET, off-mike — Embarque dans la chaloupe, Jim.

JIM, off-mike — All right, Baquet.

PIERRE — C'est le temps Bibi. Ouvre ton hublot tranquillement.

BIBI— Oui, Pierre.

HUBLOT OUVERT DOUCEMENT (comme un carreau)

PIERRE, à flic, — Tu es prêt ?

BIBI — Oui, Pierre.

PIERRE — Un ! Deux ! Trois !

QUATRE BOUTEILLES BRISÉES
LES BANDITS SE METTENT À HURLER Off-mike & SOUTENIR SOUS:
PIERRE, plus fort — Vite, ferme ton hublot, Bibi. Couche-toi à terre!
PORTE DE CABINE FERMÉE, HUBLOT FERMÉ.
BIBI — On les a eus, mon Pierre.
PIERRE — On les a eus.
TRANSITION MISICALE (dram.)
FADE UNDER
LES HOMMES HURLENT (aider avec disque, deux ou trois voix.)
JIM, à flic, enragé — Damnation! Damnation.
BAQUET — Ousque t'es, Jim? Je vois pus clair.
JIM — C'est Pierre, encore Pierre. Je vais tirer.
BAQUET — Joue pas avec la mitrailleuse, Jim... (il tousse) Tu vas nous tuer.
JIM (étouffant) -- Ah Baquet! Baquet!
BAQUET — On fait mieux de se rendre, Jim. On est frets d'une manière ou d'une autre (il tousse, il se lamente).
JIM, à flic, — Y en a t'y un qui est correct? Y en a t'y un d'nous autres qui voit clair? (il tousse).

BAQUET, à flic, — Jim, (il tousse) Jim, on s'est fait prendre. J'te l'disais ben. Aurait fallu chercher Pierre. Aurait fallu le prendre.

MUSIC UP & CUT TO

~~PIERRE. — On n'entend plus rien, Bibi. Ils n'en peuvent plus.~~

~~BIBI. — Ils ont pus la force de crier. Ah mon Pierre, t'es fameux~~

PIERRE — Il faut agir vite, maintenant, Bibi. L'effet du gaz peut durer dix minutes au plus. On va sortir d'ici.

BIBI — Mais le gaz. Y a du gaz sur le pont. Même que ça rentre dans la cabine. Ça me picote les yeux.

PIERRE — Voici c'qu'on va faire. Je vais ouvrir la porte et nous allons courir de toutes nos forces vers l'avant du bateau, dans le sens contraire du vent. D'ailleurs, le gaz s'est fait emporter par le vent, en grande partie à l'heure qu'il est.

BIBI — On va t'y avoir mal aux yeux?

PIERRE Un petit peu. Ça ne vaudra pas la peine d'en parler. Attention maintenant. J'ouvre la porte. Prends ta respiration.

BIBI— Oui (il prend sa respiration).

PIERRE — On y va.

PORTE DE CABINE OUVERTE & COURIR

LES BANDITS toussent off-mike (soutenir sous)

PIERRE, courant — Ici, ici, Bibi.

ILS COURENT. ARRÊT DES PAS (on cue)

MOTEURS DU NAVIRE off mike

PIERRE, essoufflé, à flic, — Tu vois, le gaz a été pratiquement balayé.

BIBI, tousse — Atchoum ! Mais c'est fort quand même ! Ouille ! Les yeux me piquent (pause). Qu'est-ce que tu vas faire ?

PIERRE — Regarde ! (il élève la voix). Mes gredins, vous ne pouvez plus rien faire. Laissez tomber vos armes, ou je tire.

BIBI— Ça c'est bien dit, mon Pierre.

PIERRE (fort) -- Je vais compter jusqu'à dix. Si à dix, vous n'avez pas jeté vos revolvers et la mitrailleuse par terre, je serai sans pitié (il compte en fade-out lent). Un ! Deux ! Trois ! Quatre !

BAQUET, en fade-in, renâclant — J'tez ça à terre, les gars. J'tez ça à terre au plus vite.

ON JETTE REVOLVERS PAR TERRE (quatre)

BAQUET — Ta mitrailleuse, Jim, ta mitrailleuse. Jette ça à terre.

JIM — Damnation.

MITRAILLEUSE QUI TOMBE À TERRE

JIM, entre ses dents, en fade-out — Si j'avais vu clair, ça se serait pas passé de même.

LES HOMMES CONTINUENT DE TOUSSER off-mike

PIERRE (en fade-in) -- C'est parfait. Il faut maintenant aller ramasser ces outils-là.

BIBI — j'vas y aller, Pierre. Y a quasiment plus de gaz sur le pont.

PIERRE — Le vent a tout balayé. Vas-y Bibi, et rapporte-moi tout ça.

BIBI — Pas peur.

TRANSITION MUSICALE (dram.)

MOTEURS DE LA BELLE MARINIÈRE

BIBI — Tiens, Pierre.

PIERRE — Merci. Tu m'rends service, mon gars.

BIBI — Trois revolvers.... Attends, j'en ai encore quatre dans mes poches.

PIERRE — Fais attention.

BIBI — T'as pas besoin d'le dire (il tousse). Bric-à-brac, il est fameux ce gaz-là. J'en ai respiré seulement un p'tit brin et … et… (atchoum)

PIERRE — C'est pas dangereux ! Tu s'ras mieux dans quelques instants. Tu sentiras plus rien.

BIBI — Dire qu'y avait des bandits qui avaient chacun deux revolvers (forçant). J'vas mettre la mitrailleuse à côté de toi. C'est pesant, ça aïe… (pause). Y a t'y autre chose à faire ?

PIERRE — Va chercher du câble. On va ligoter nos cinq prisonniers. Ensuite, j'irai télégraphier à la patrouille.

BIBI — Correct, mon Pierre.

TRANSITION MUSICALE (Gaie)

MOTEURS DE LA BELLE MARINIÈRE

JIM, se plaignant — Ayoye.

BIB   Je serre fort. T'auras pas de chance, Jim.

JIM — Ayoye donc.

BIBI — Ça t'apprendra à faire ton finfin. C'est platte quand même hein? Quand on pense que t'auras même pas une cenne dans le trésor

PIERRE, off-mike — Achèves-tu, Bibi?

BIBI — J'ai fini, Pierre! Tu peux aller télégraphier. J'te r'joins dans une minute. Avant, j'voudrais chatouiller le gros Baquet. Comment ça va, mon Baquet?

BAQUET, riant — Ha! Ha! Ha! Laisse-moi donc. Ha! Ha! Ha!

BIBI — Il est chatouilleux, le Baquet.

BAQUET rit

PIERRE, off-mike, de mauv. humeur — Dépêche-toi, Bibi. C'est pas le temps de faire des farces.

TRANSITION MUSICALE (gaie)

FADE UNDER

PIERRE— Ils ont brisé le gouvernail et le télégraphe.

BIBI — Bric-à-brac.

PIERRE — Mais ils ont oublié le drapeau blanc. Nous allons le hisser.

BIBI — Bonne idée, mon Pierre. Mais y a du danger. La patrouille est encore loin et la Belle Marinière marche toujours. On va se briser sur les roches.

PIERRE -- T'en fais pas, Bibi. Je vais arrêter les moteurs et jeter l'ancre.

BIBI — Cou donc, toi, tu trouves toujours un moyen d'en sortir. T'es bon en titi.

PIERRE — Pas de compliments, Bibi, hein?

TRANSITION MUSICALE (gaie)

FADE UNDER

PIERRE — Ce qui fut dit fut fait, et vingt minutes plus tard, le capitaine Lemieux de la patrouille du golfe sautait sur le pont de la Belle Marinière avec deux de ses hommes. Je le mis au courant... (f-o)

MUSIC OUT

CAPITAINE LEMIEUX — Mes félicitations, Pierre. C'est du beau travail. Si tu n'avais pas fabriqué ce gaz, nous aurions eu beaucoup de misère à capturer Jim et ses complices.

PIERRE —Ils étaient bien armés.

CAPITAINE LEMIEUX — Il y aurait eu un échange de coups de feu, il y aurait eu des pertes de vie de leur côté comme du nôtre (pause). J'avais entendu parler de vos exploits, Pierre, dans l'aviation. Vous auriez eu autant de succès dans la marine.

PIERRE — Ainsi donc, vous aviez capté mon télégramme ?

CAPITAINE LEMIEUX — Oui, et je me suis dépêché de pourchasser la Belle Marinière. Mon détecteur de son m'a aidé, vous comprenez. Mais la brume était joliment embêtante.

BIBI — La brume nous a aidés nous autres. — Mais cou donc avez-vous des nouvelles de nos amis qui sont restés dans l'Île au Tonnerre ?

CAPITAINE LEMIEUX — Je sais qu'une goélette est partie les secourir. Nous devrions avoir des nouvelles d'une minute à l'autre.

PIERRE — Tant mieux, capitaine.

GOÉLANDS

PIERRE — Tiens, des goélands La vie est belle, capitaine. J'vous dis qu'après nos aventures, on se sent heureux ! Mais j'y pense. Vous devez des félicitations à ce petit bonhomme-là aussi.

BIBI — Aïe aïe, là Pierre.

PIERRE — Il a été rudement courageux. Il m'a aidé. C'est même lui qui m'a délivré.

BIBI — Mais c'est toi qui as fait le gros de l'ouvrage, Pierre.

CAPITAINE — J'te félicite, mon p'tit bonhomme. Mais v'nez à bord de mon bateau. Vous allez déjeuner, vous devez avoir faim, pas vrai ? Et puis, on télégraphiera pour avoir des nouvelles de vos amis.

TRANSITION FINALE (large. Bonheur.)

FADE UNDER

PIERRE — Demain je vous lirai le dernier chapitre de ces aventures extraordinaires qui nous sont arrivées cet été. Et quand j'aurai fermé mon livre, vous aurez le plaisir d'entendre une nouvelle série d'aventures, à Mont-Tranquille.

MUSIC UP & CUT TO

ANNONCEUR — Oui, demain après la conclusion du livre de Pierre, vous serez lancés dans une nouvelle série d'aventures extraordinaires. Soyez à l'écoute.

« MADELEINE ET PIERRE » KELLOGG CO

TRANSITION MUSICALE (myst.)

ANNONCEUR — Aujourd'hui, notre ami Pierre termine le récit de ses aventures. Toute chose a une fin, mes amis. Mais écoutons Pierre (léger f-o).

MUSIC OUT

PIERRE, lisant — Le capitaine Lemieux, de la patrouille du golfe, fit transporter Jim, Baquet et leurs complices à bord de son navire. Puis, il nous fit servir, à Bibi et à moi, un excellent déjeuner. Ensuite nous sommes allés dans la cabine du télégraphiste. Le capitaine Lemieux avait envoyé du secours dans l'Île au Tonnerre et nous attendions un message, avec anxiété… (léger f-o)

TÉLÉGRAPHE RÉCEPTEUR en fade-in

BIBI, à flic, excité — Pierre ! Pierre ! Un télégramme ! Est-ce qu'on parle de nos amis ?

PIERRE — Pas si fort, Bibi. Tu déranges le télégraphiste. Il transcrit le message pour le capitaine.

BIBI, baissant le ton — Mais est-ce qu'on parle de nos amis ?

PIERRE — Oui, Bibi.

BIBI — Traduis-moi le message tout d'suite, vieux.

PIERRE — C'est bon (pause). Au capitaine Lemieux......l'Albatros.

BIBI — L'Albatros ? C'est l'nom du navire sur lequel on s' trouve.

PIERRE (traduisant) — Nous venons de rescaper Jean Desrochers, Madeleine Dupont et leur groupe...

BIBI, excité, heureux — Que j'suis content.

PIERRE (traduisant) -- Ils sont tous sains et saufs.

BIBI, heureux — Ah Pierre, mon vieux.

PIERRE, heureux — Ça, mon vieux, c'est magnifique.

BIBI — Continue, continue.

PIERRE (traduisant) — Nous allons les conduire au quai de Pointe Bleue. RÉPONDEZ. Signé : capitaine Labrecque. L'Héroïque.

BIBI— L'Héroïque ?

PIERRE — C'est le nom du bateau. (Ému, heureux) Mon vieux Bibi, qu'on se serre la main.

BIBI — Qu'on se serre la main. (Excité) Mais aïe, m'sieur Desrochers et nos amis savent pas qu'on est libres, nous autres.

PIERRE — Ils vont l'apprendre dans quelques instants, Bibi. Le capitaine Lemieux va leur répondre.

BIBI — Ah bon. — (Pause. FLIC.) Ah oui, une autre question. Comment c'qu'on va retrouver m'sieur Desrochers, Madeleine, tous nos amis ?

PIERRE — Le capitaine Lemieux va nous prêter des hommes. Nous pourrons conduire la Belle Marinière jusqu'à la Pointe Bleue.

BIBI — Mais notre gouvernail est brisé. Notre télégraphe est brisé.

PIERRE — Le gouvernail sera réparé dans une couple d'heures, Bibi. Quant au télégraphe, on s'en passera. D'ailleurs, on n'en aura pas besoin. La patrouille va nous escorter jusqu'à la Pointe Bleue et de là, jusqu'à vingt milles de Mont-Tranquille.

BIBI — Tout s'arrange bien, mon vieux Pierre. J'suis ben content.

TRANSITION MUSICALE (large, belle.)

FADE UNDER

PIERRE — Quelques minutes plus tard, le capitaine Lemieux dictait sa réponse au télégraphiste. Et mes amis, rescapés à bord de la goélette l'Héroïque, apprenaient la bonne nouvelle. (F-O)

MUSIC OUT

TÉLÉGRAPHE RÉCEPTEUR ZZZZZZZZZZZZZZZZZZZZZZZZZZZX

JEAN, ému — Pierre et Bibi sont hors de danger !

SUZETTE, émue, heureuse — Mon oncle Jean !

MADELEINE — C'est vrai, mon oncle, bien vrai ?

JEAN, traduisant — Ils se sont conduits comme des héros. Quand j'ai mis le pied sur la Belle Marinière, Jim le plongeur et ses quatre complices étaient là sur le pont, ligotés, réduits à l'impuissance.

SUZETTE, à mi-voix — J'en r'viens pas.

JEAN — Pierre les avait tous faits prisonniers au moment où ils se préparaient à fuir avec le trésor dans une chaloupe à moteur. Le jeune Bibi Morel a fait preuve d'un sang-froid extraordinaire.

MADELEINE, à mi-voix — Qu'est-ce qui est arrivé au juste ? (Tremblante) Ah ! Ils ont dû voir la mort de près.

JEAN (traduisant) -- Le gouvernail de la Belle Marinière a été brisé. Nous allons le réparer, et ce soir la Belle Marinière accostera au quai de la Pointe Bleue. (Ému) Ah ça, mes enfants, c'est plus que j'espérais.

ARRÊT TEL

MADELEINE — Mon oncle, je pleure malgré moi. Je suis trop heureuse. J'avais peur tout à l'heure, en entrant dans cette cabine, peur qu'on nous apprenne une terrible nouvelle. Mais non, Pierre est vivant, Bibi Morel aussi, et ce bon vieil Octave, notre fidèle matelot.

SIFFLET DE NAVIRE off-mike

JEAN — Il faut en remercier le Seigneur, Madeleine.

MADELEINE, avec élan — Ah oui, mon oncle.

SUZETTE, d'une petite voix — Comme ça, on va les voir ce soir, à la Pointe Bleue ? C'est donc beau.

JEAN — Nous serons à la Pointe Bleue, cet après-midi, mes enfants. Nous nous retirerons à l'hôtel de l'endroit. Savez-vous ce que nous allons faire ? Un petit banquet pour fêter Pierre et Bibi.

SUZETTE, avec élan — Ah oui, ils le méritent bien.

TRANSITION MUSICALE (large, belle)

GOÉLANDS

PIERRE. — Les goélands sont plus nombreux que jamais, mon vieux Bibi.

BIBI. — C'est beau d'les voir planer. On dirait des avions. Mais tiens, v'là notre ami, le vieil Octave. Salut. Octave.

OCTAVE, en fade-in — Y paraît, y paraît que le gouvernail est réparé.

PIERRE — Non !

OCTAVE — On va sauter dans une chaloupe et on va retourner à bord de la Belle Marinière.

BIBI — Tu dois avoir hâte, pas vrai, Octave ?

OCTAVE — Si j'ai hâte, ça s'dit pas, mon p'tit bonhomme. La Belle Marinière, moi, c'est ma maison.

BIBI — T'as ben raison. C'est un ben beau bateau.

SILENCE. AJOUTER <u>VAGUES</u>.

PIERRE, à flic, — Octave.

OCTAVE — Oui, monsieur Pierre.

PIERRE — Tu ne garderas pas un trop mauvais souvenir de nos aventures?

OCTAVE — D'un côté, oui. – J'aurais ben voulu que tu viennes me délivrer. J'aurais pu t'aider à poigner Jim, Baquet, pis tous les autres.

PIERRE — Je n'ai pas eu le temps, mon pauvre Octave.

BIBI — Et pis, on savait pas dans quelle cabine les bandits t'avaient caché.

OCTAVE — J'comprends ça.

BIBI — En tout cas, Jim, Baquet, Fernando, Alphonse et le mécanicien, y vont payer.

PIERRE — Le pénitencier les attend.

BIBI — Pour la vie?

Pierre — Pour la vie.

BIBI — Ouais… y sont chanceux quand même. Suppose qu'ils auraient tué quelqu'un … c'est pas le pénitencier pour la vie qu'ils auraient attrapé … c'est …… ouais … zing! Ils se seraient balancés au bout d'une corde.

PIERRE — Le pénitencier pour la vie, tu sais, mon Bibi, c'est pas drôle. C'est même terrible quand on y pense.

BIBI, serrant les dents — Ils l'ont mérité (pause). Faut se débarrasser de ces gars-là.

PIERRE. — La société n'en a pas besoin.

OCTAVE — Aïe, le capitaine Lemieux nous fait signe. Faut sauter dans une chaloupe. On retourne à bord de la Belle Marinière.

BIBI — Hip hip hourrah!

TRANSITION MUSICALE (très gaie. Trépidante.)

MOTEURS DE NAVIRE & VAGUES

BIBI, à flic, excité — On marche, Pierre. La Belle Marinière s'en va! Encore une fois, hip hip hourrah! (Pause) Aïe Pierre, crie avec moi. (Pause. Taquin.) Ah! Tu m'entends pas. Tu penses à autre chose. Tu r'gardes un portrait. Le portrait de Madeleine!

SIFFLET DE NAVIRE

BIBI, à flic, sérieux — C't'une ben belle p'tite fille, Madeleine. T'as raison d'la trouver d'ton goût, mon Pierre (pause). J'te parle, Pierre.

PIERRE, ailleurs — Excuse donc, Bibi. (Excité) On marche?

BIBI — Y vient d's'en apercevoir, le gars. Y a pas à dire, y est en amour.

PIERRE, riant — Bibi, tu es trop jeune pour parler d'amour.

SIFFLET DE NAVIRE

PIERRE, à flic, — Viens, on va aller trouver Octave, dans la cabine du pilote.

BIBI — C'est correct.

PIERRE. — Il doit être fier d'être au gouvernail, le pauvre vieux.

BIBI, excité. — Aie, ensuite Pierre, on va descendre dans la cale .

PIERRE. — Pourquoi?

BIBI. — Voir si le trésor est là.

PIERRE. — Tu sais bien qu'il y est, Bibi. On a transporté les coffres tout à l'heure. J'ai fermé la porte à clé.

BIBI. — Ça fait rien, on ira regarder.

PIERRE, riant. Il y a plus de danger, voyons. Tu m'fais rire.

MONTER ESCALIER DE FER

PIERRE, à flic, — Ce trésor-là va nous être utile.

BIBI — Oui certain.

PIERRE — On va pouvoir construire notre maison de repos pour les vétérans de la dernière guerre.

BIBI — Pis on va acheter une pile d'Obligations de la Victoire.

PIERRE — Notre club va devenir prospère.

BIBI — Aïe, tu me l'dis.

PIERRE— Nous pourrons payer des cours d'études à ceux qui ont du talent et qui sont pauvres. Mon vieux Bibi, nous pourrons faire du beau travail.

<u>TRANSITION MUSICALE</u> (large & belle)

FADE UNDER

PIERRE — Vers sept heures du soir, la Belle marinière accostait au quai de la Pointe Bleue. Le cœur battant, Bibi et moi nous étions sur le pont et nous tenions le vieil Octave par le cou. Sur le quai, mon oncle Jean, Madeleine, Roger, Marguerite, Suzette, Louis, tous nos amis nous attendaient, et ils lançaient des cris de joie. C'était du délire … (f-o)

CRIS DE JOIE (studio & disque) & MOTEURS DE NAVIRE

SUZETTE, criant, on mike — Pierre! Pierre! Bibi!

JEAN, criant — Pierre! Bonsoir!

MADELEINE, criant — Dépêchez-vous.

SUZETTE   Pierre! Pierre! Bibi!

SIFFLET DE NAVIRE

VOIX UP & CUT TO

PIERRE, narrant — Nous avons couru sur la passerelle, et nous avons été entourés par nos amis qui nous serraient les mains et qui se mirent à nous porter en triomphe. Et puis, nous sommes allés à l'hôtel de la Pointe Bleue. En cours de route, Bibi et moi nous avons raconté nos aventures. À l'hôtel, nous avons fait honneur au repas… (f-o)

VOIX JOYEUSES (studio & disque)

BANQUET (Ustensiles. Assiettes. Liquides versés ad lib sous :)

JEAN — Vous avez été magnifiques, tous les deux.

BIBI — Non, non, m'sieur Desrochers, pas tous les deux, Pierre tout seul. J'ai rien fait, moi.

SUZETTE, émue — Au contraire, Bibi. Pierre nous a dit que tu l'as délivré, que tu l'as aidé !

BIBI — Laisse donc faire, Suzette !

PIERRE, fermement — Bibi, tu as été épatant. Ça finit là, et j'te défends de dire le contraire, tu comprends ?

JEAN — Bien dit, Pierre.

SUZETTE, taquine — Oh Pierre, il y a une chose que tu as oubliée.

PIERRE, sans se méfier — Quoi donc, Suzette ?

SUZETTE — Tu m'as embrassée. C'est bien naturel, je suis ta p'tite sœur. Mais tu as pas encore embrassé Madeleine.

BIBI — Ça c'est vrai, bric-à-brac ! Es-tu gêné d'vant nous autres, Pierre ?

PIERRE — Écoute, Bibi, c'est un peu fort.

SUZETTE — Il faut qu'ils s'embrassent tous les deux.

BIBI — Un beau bec en pincettes, là.

JEAN — Allez-y, Madeleine et Pierre.

MADELEINE — Tout à l'heure, mon oncle Jean.

PIERRE. — C'est gênant, ça.

SUZETTE — Ça nous f'ra tant plaisir.

PIERRE — Bon, j'vas m'décider pour vous montrer que j'ai pas peur.

APPLAUDISSEMENTS (du studio)

PIERRE, à flic, — Ça suffit, ça suffit. Maintenant, mes amis, je vais vous dire une chose. Vous nous avez fait parler Bibi et moi, depuis notre arrivée, comme des gramophones. Vous savez nos aventures. Parlez-moi des vôtres dans l'Île au Tonnerre ?

MADELEINE — Il n'y a pas grand-chose à ajouter, Pierre. Nous avions quelques provisions. Et puis, Louis et Roger ont découvert une source d'eau potable. Les garçons faisaient la pêche. En un mot, nous n'étions pas trop à plaindre.

SUZETTE — Et puis le secours est venu rapidement, grâce à toi, Pierre.

JEAN— Oublions tout ça. Nous aurons le temps d'en parler plus tard. C'est le moment de rire et de s'amuser.

TRANSITION MUSICALE (Très gaie)

FADE UNDER

PIERRE — Et nous sommes retournés à Mont-Tranquille avec le trésor. En ce moment, mon oncle Jean construit notre maison de repos pour les vétérans de cette guerre et tout est bien qui finit bien. – (Pause) Mes amis, mon récit est terminé. Je referme mon livre. Mais… il y a un mais, j'en ouvre un deuxième ce soir-même! Cet après-midi, à Mont-Tranquille, Jimmy Saint-Amour a fait une découverte sensationnelle. Et il a excité la curiosité de son frère Ti-Coune en lui disant (f-o).

MUSIC OUT

JIMMY — Devine c'que j'ai découvert, Ti-Coune.

TI-COUNE — J'viens de te le dire, Jimmy. Je donne ma langue au chat.

JIMMY — J'ai vu ça dans le bois, en arrière du village, là-bas.

TI-COUNE — Ben dis-le, casquette.

JIMMY — Mon vieux, c'est pas croyable. Si tu savais c'que j'ai trouvé.

TI-COUNE — Cou donc, toi, veux-tu rire de moi?

JIMMY — Ben non. Seulement, je veux t'agacer. Tu m'agaces souvent, hein? À mon tour.

TI-COUNE — Dis-le donc. J'vas te donner un fouet en réglisse.

JIMMY — J'aime pas la réglisse. As-tu des lunes de miel?

TI-COUNE — Non. Envoye, envoye, dis-le!

JIMMY — Non, j'aime trop ça te faire languir, mon Ti-Coune. J'te l'dirai seulement demain.

TI-COUNE — C'est pas correct, ça. J'suis ton frère. J'suis ton ami à part ça.

JIMMY — Demain, Ti-Coune. Salut.

TI-COUNE — T'as rien trouvé d'abord. C'est une farce, Jimmy.

JIMMY — On va ben voir, Ti-Coune.

TRANSITION MUSICALE (myst.)

PIERRE — Mais non, Jimmy était sérieux. Il venait de faire une découverte. Il m'en avait parlé à moi. La découverte de Jimmy Saint-Amour est le début d'une nouvelle série de nos aventures. Écoutez le prochain épisode. Vous ne le regretterez pas.

MUSIC UP & CUT TO

ANN. COMM.

De concert, Pierre et Louis ont trouvé le moyen de disposer de cette fortune inespérée mais le garderont secret jusqu'à la fin. Pierre énonce :

Nous allons employer une partie du trésor pour bâtir une maison magnifique, aussi bien dire, une espèce d'hôtel... Pour les vétérans de la guerre[14].

Ces mots étaient entendus le 10 octobre 1945, soit deux jours après l'entrée en ondes d'Yvan l'Intrépide.

Adrienne Samuel a débuté à l'âge de quatre ans dans l'émission *Radio-Petit-Monde* et, à neuf ans, dans une troupe de Chicago, Werther. Elle a joué dans *Les Soirées de Grand-Mère* et fut, presque toujours, la partenaire de Pierre Dagenais. En 1938, elle crée le personnage de Madeleine dans *Madeleine et Pierre*. Comme elle travaille souvent à l'extérieur, notamment à New York, dès 1944 Renée David la remplace souvent. Trois jours avant son mariage, le dimanche avant Noël 1945, Adrienne meurt dans un accident de voiture, près de Trois-Rivières. Elle n'avait que 25 ans.

Dès lors, Renée David assume la permanence du rôle de Madeleine et c'est ainsi que la nouvelle page-titre de l'émission *Madeleine et Pierre* doit se renouveler et faire apparaître Renée comme la Madeleine du radio-feuilleton (voir photo page suivante).

---

14. Texte original de *Madeleine et Pierre*, épisode n° 1876.

(Bibliothèque et Archives nationales du Québec, *Radiomonde* du 20 octobre 1945).

Titres de l'année 1946

André et son Tuteur, Cyprien de Belmont (2000ᵉ officielle)
La Base secrète
Le Commandant Von Litmer
Les Bombes atomiques
Sous-marins et Avions
Le Jockey Kenny Garreau
L'Avion fusée
Les Espions
Autre expédition aux cavernes de Taw-Wah-Nah (Grand Nord canadien)

1946. La guerre est finie ! L'armistice a sonné ! Les biens et les droits acquis à la sueur du front de chacun ne sont pas pour autant à l'abri des opportuns. Tout comme à la fin de 1944 et en 1945, au genre policier s'est substitué celui de l'espionnage. Les titres des émissions ci-haut mentionnées parlent d'eux-mêmes.

[...] *Car demain, mes bons amis, l'émission Madeleine et Pierre entre dans sa neuvième année. Un record, comme on dit. Preuve que notre programme sait toujours plaire*[15].

---

15. Texte original de *Madeleine et Pierre*, 31 décembre 1945, épisode n° 1934.

La seule photo représentant les principaux interprètes de *Madeleine et Pierre*.

De gauche à droite: ZÉPHIRIN: Jean-Marc Audet, ANNONCEUR: Bruno Cyr, MADELEINE: Renée David, PIERRE: Jacques Bélair, SUZETTE: Michèle Thibault, TI-COUNE: Paulo Bruce, AUTEUR ET DIRECTEUR: André Audet, POLÉON: Rolland Chenail, ONCLE JEAN DESROCHERS: Rolland d'Amours, ROGER: Jean Louis Garon; LOUIS: Julien Boisvert, DÉTECTIVE JOHNSON: François Lavigne, JIMMY: Gaëtan Labrèche, LE BOM GUILLET: Jean-Marc Audet, MADAME ST-AMOUR: Juliette Béliveau, MARGUERITE: Marjolaine Hébert, NENESSE: J-M. Poliquin, BEBETTE: Madeleine Laliberté, ANTOINE: Jacques St-Germain, LUCILLE: Hélène Bienvenue, FREDE: André Neveu, COCO: Gisèle Rolland, BAZOUF: J.-G. St-Germain, MONIQUE: Arlette Gagnon, DÉDÉ: Georges A. Paquin, RIQUETTE: Lise Lassalle, BIBI: Louis Rolland

(Bibliothèque et Archives nationales du Québec, *Radiomonde* du 18 mai 1946, pages 10 et 11).

Un anniversaire n'en est pas un sans gâteau.

(Bibliothèque et Archives nationales du Québec, *Radiomonde* du 25 mai 1946, page 19).

Fait rarissime, au début du 2065e épisode, le lundi 30 septembre 1946, l'auteur André Audet prend le micro pour saluer son jeune public et lui promettre plein d'aventures nouvelles concoctées pendant ses vacances. Trois semaines plus tard, il organise un concours de dessin avec des prix en argent. Le thème fait appel surtout à la créativité des jeunes auditeurs; il leur faut démontrer leur perception de l'avion fusée du nazi Von Litmer.

1946 marque le retour de ce nazi, leur ennemi n° 1. C'est aussi le retour des messages secrets, comme celui de l'épisode n° 2122, le 18 décembre 1946: « VTBIXHK » et du déchiffreur (la petite règle). L'espace fictionnel est l'Île du Diable, dans le Grand-Nord canadien. Pierre, Jean, Ti-Coune et Bibi sont au campement de Twa-wah-nah en compagnie du savant Félix d'Iberville. Pelleteries, chasses, combats en auto-skis, en avions supersoniques et vengeance de Litmer, dont la base secrète a été détruite par Zéphirin au printemps, sont au menu de la dernière histoire de 1946. Autant de dangers courus, autant de termes touchant le monde de l'aéronautique, à ses installations, à ses techniques modernes créent la dynamique propre à André Audet.

Depuis 1940, l'étude du dessin est solidement établie dans les écoles de la province, il n'est pas étonnant que par centaines, les jeunes s'empressent de participer. Les prix sont attribués mais l'exposition espérée n'a pas lieu. Pour l'auteur, néanmoins, ce test lui révèle le haut degré d'imagination de son jeune public. M. d'Iberville Fortier, dans une de ses nombreuses chroniques, vante les mérites de la suggestion et de la réflexion face aux jeunes et va jusqu'à citer comme exemple d'émissions à « valeur éducative » *Madeleine et Pierre* et *Yvan l'Intrépide*[16].

Le journal de la grande ville de *Mont-Tranquille* est maintenant publié et après avoir pris le nom de *Gazette de Mont-Tranquille* devient *Le P'tit Débrouillard*. Cinq éditions de quatre pages, format tabloïd, où tour à tour un des personnages raconte sa mésaventure, écrit un poème, donne un conseil pratique. Sans oublier l'éditorial de Pierre, les jeux d'observation, la liste des gagnants au concours de rédaction de Ti-Coune avec prix (10 certificats de guerre de 5 $) et maintes autres chroniques. Quelques objets sont aussi proposés : brassard du club, emblème officiel, plan d'un aéroglisseur, des recettes, des trucs (dont certains requièrent un grand nombre de « K » rouges de Kellogg). Ces convoitises facultatives deviennent onéreuses mais comme les familles sont nombreuses, elles peuvent s'unir pour offrir au moins à l'un des enfants (souvent le chef du club local) l'objet en ques-

---

16. Iberville Fortier, *Radiomonde* 19 juillet 1947, page 10.

tion. De plus, un livret de pièces de théâtre écrites par la troupe de *Madeleine et Pierre* suggère comment les monter en spectacle. Notions révélatrices de l'apport de Mme Jean-Louis Audet. Écrit dans un style alerte, sympathique, humoristique, il comble les jeunes et même les plus vieux. André Audet apporte encore ici quelque chose d'inédit au Québec. Si vous, lecteurs, connaissez la revue *Le Petit Débrouillard*, destinée aux adolescents d'aujourd'hui, vous constaterez que la facture n'est guère différente.

Logo du *P'tit Débrouillard* (Archives de l'auteur).

En 1947, les enfants-personnages de *Madeleine et Pierre* vivent deux longues aventures dont les titres sont :

La Pension Mariza
Jalousie de Marcellin

Les enfants-personnages, tout comme les enfants-auditeurs, ont grandi, développé leurs goûts et leur personnalité. Certains se sont affranchis de leurs peurs et angoisses, d'autres ne peuvent dissimuler leurs attirances amoureuses. Leurs attitudes se sont modifiées, assurées. Les cotes d'écoute attestent la fidélité, voire l'élargissement du jeune public. Les cadets des premiers auditeurs ont pris la relève. Et les structures tant familiales que scolaires sont désorganisées. Comme du public visé dépend le contenu d'une émission radiophonique, l'auteur (et toute son équipe, expérimentée elle aussi) travaille à aborder des sujets, reflets des nouvelles préoccupations des jeunes.

Mont-Tranquille n'a plus le même visage. C'est une belle et grande ville, avec cathédrale de pierres grises, usine de sous-marins, sanatorium. Elle est indépendante et florissante, suscitant sans cesse des envies et à la merci d'étrangers qui jettent les personnages dans des situations angoissantes, des quêtes de possession, des rivalités, sans crier gare. Des rapprochements, des amours qui laissent chez les aînés des larmes ou des cris du cœur. Et beaucoup de rires aussi car il y a encore et il y aura toujours des enfants.

L'Ami Zéphirin a le mérite d'avoir tenu la barre pendant les étés 1945-1946-1947. Ses efforts n'ont pas été vains: plus de 6000 lettres lui sont parvenues. Et les enfants en redemandent encore. Il est donc évident qu'en septembre 1948, *Madeleine et Pierre* revient à l'antenne pour la 10ᵉ année consécutive. Et jusqu'au premier mois de l'année 1949.

Le rideau tombe

Pierre a 24 ans, Madeleine en a 22. Pendant 11 ans, sans aucune interruption, ils ont livré des combats de toutes sortes. Ils se sont heurtés à plusieurs mondes : à celui des adultes, à celui extérieur au village *Mont-Tranquille*, à celui où les apparences sont toujours trompeuses et où les antagonistes sont légions. Pierre a accompli plus d'une mission, notamment pendant la guerre. Ce parcours initiatique est complété. S'il veut encore aller de l'avant, c'est ici dans sa patrie qu'il compte le faire. Madeleine s'est transformée elle aussi. Elle est infirmière de cœur, d'esprit, de corps. L'attachement à son ami d'enfance s'est mué en amour. Le mariage, une des grandes valeurs de l'époque, l'aboutissement idyllique des contes de fée, c'est leur seul horizon.

La plupart des radio-feuilletons pour adultes se sont terminés de façon abrupte. *Madeleine et Pierre*, lui, s'est distancé peu à peu de ses auditeurs. L'Oncle Jean ne sera jamais à la retraite. Il ne peut s'arrêter mais il n'aura plus à veiller sur son neveu. Monsieur De La Roche, Bom Guillet, les plus âgés, ont dispensé leurs connaissances aux jeunes. La plupart de ceux-ci ont atteint le but qu'ils s'étaient fixé ou sont sur le point de le trouver. Zéphirin, Marguerite, Reine, Bibi, Ti-Coune, Louis et les autres de cette grande ville gaspésienne, sur les bords du Saint-Laurent, ont terminé leurs palpitantes aventures. En ce 4 janvier 1949, leurs voix se taisent.

Néanmoins, les héros ne meurent pas. Ils restent là, présents à l'oreille, aux yeux et au cœur de leur public. Cette absence, réalité implacable, se fait aussitôt sentir, comme le souligne l'Académicien :

> Les petits réclament à grands cris le retour de *Madeleine et Pierre* sur les ondes métropolitaines. Certes, après 2600 émissions, ce programme reste le favori de la gent enfantine, d'hier et d'aujourd'hui[17].

Cette émission pionnière, André Audet aurait désiré l'éditer (entre autres choses) avec des photos prises par son frère Jean-Marc, mais la mort l'a surpris trop tôt, remisant tous ses épisodes en pages dactylographiées et microfilmées. Quoique confiées à des fonds privés, elles restent disponibles à tous.

Pourtant personne n'a pensé à la rediffuser, ni l'adapter pour la télévision et encore moins au cinéma. Et que dire de la bande dessinée, du conte

---

17. L'Académicien, *Radiomonde*, 5 mars 1949, p. 12.

Le mardi soir au poste CKAC

La grande soirée du rire et de la variété sur les ondes.

Les radiophiles ne manqueront pas de revenir à l'écoute, après les réjouissances de la fête du Jour de l'An, pour entendre leurs émissions favorites sur les ondes de CKAC. Ils sont assurés de passer une très agréable soirée en compagnie d'un groupe d'artistes très populaires sur les ondes locales.

Variétés musicales

Du mardi au vendredi inclusivement, à 5 h. 10 de l'après-midi, la brillante artiste Aurette Leblanc revient au micro de CKAC pour interpréter un grand succès de la mélodie populaire. Ces versions originales, exécutées à l'orgue et au piano, ne manquent jamais de plaire aux radiophiles car la vedette de cette émission puise abondamment dans le répertoire de la comédie musicale américaine.

Madeleine et Pierre

Madeleine et Pierre se sont fiancés. Le dîner de fiançailles aura lieu jeudi. Les membres du Club sont dans une grande excitation. Madeleine et Pierre demeurent président et présidente du Club, mais il y aura des élections pour élire les directeurs de l'année courante; les auditeurs eux-mêmes, jeunes et vieux, seront invités à faire leur choix. Cette émission passe sur les ondes du poste de la "Presse" du lundi au vendredi inclusivement à 5 h. 45 du soir. Les textes et la réalisation sont d'André Audet.

L'HORAIRE DES ÉMISSIONS

MARDI

P.M.	CKAC 730 kil.	CHLP	CBF 690 kil.	CFCF	CBM 940 kil.	CJAD	CKVL
6 00 15 30 45	Une vedette Dites-moi Parem'sports Nouv. chez nous	Radio-journal Chansonnettes	Yvan l'intrep. Radio-journal Revue de l'au du dîner	Sunny Side Nouvelles Bandaland	Variétés Radio-journal Divertissant Nouv. BBC	Nouvelles et Ballroom	Nouv. Sm. Par. chans.
7 00 15 30 45	Les sélections d'Alain Gravel Le diable s'en	L'heure famil. Nouvel mus. Interview	Un homme et... Métropole Rolande et Rob. Troub. du Qué.	Fireside Fan Confiteos Club 15 Make Mine	Al Nervey Sweet C. Swing Set by Simone Point of view	Nouv. Ballroom Cavalcade This is the Air	Onde Trav
8 00 15 30 45	Jul. Bélivaux La Mine d'Or 8.55 R. Garneau	Folklore Site. Ridder	Les Compagn. Orch. Toronto	Search of Cliff Symphony Orch	Morgan Time Cavalcade	Hit of the Day Nit on w' band Fun Parade	Fantôme au cl. Juges les étoiles
9 00 15 30 45	En chantant dans le vivoir Ralliement du rire	Place Pigalle	École des parents	Play Bridge	Bob Hope Fibber McGee	Cavalcade 1948 Concert Hall	Jacques Hélian Sept ou onze
10 00 15 30 45	Y'a du soleil Miniature Nouvelles	Allo U.S.A. Radio-journal Contes	Radio-journal Causerie A. Brandbois	Big Town Harmony H.	Radio-journal Revue actualités Leicester g.	Nat Brandwyne Navy Anca Sport Moon dreams	Paris-Swing Nouvelles
11 00 15 30 45	Sport Ch. de coeur Guy Lombardo	Mil la nuit Cabaret dans.	Adagio Mus. de danse	Nouvelles Mf the record	Orch. E. Wild Musique	Nouv. sport Platter Party	Tommy Dorsey
MINUIT	Nouv. et cont	Fin des émis.	Fin des émis.	Nouv. et fin	Fin des émis.	Fin des émis.	Prog. de nuit

MERCREDI

A.M.	CKAC	CHLP	CBF	CFCF	CBM	CJAD	CKVL
6 00 15 30 45	Nouvelles 6.06 Éveil		(6.50) Ouvert.	Maurice Bédard	Heure réveil Réfouni Mont. Mercredi	Nouv. et Ferm. Musie Clock	Bonjour cul. Prière Ferme
7 00 15 30 45	Nouvelles 7.05 Éveil Oratoire	Carrousel Nouv. et sport	L'opéra de quat-sous	Nouvelles Maurice Bédard Nouvelles Maurice Bédard		Nouvelles Musie Clock	Siffler en s'éveillant
8 00 15 30 45	Nouv. du jour 7.20 Boulevard Légaré	Cf. au S.-Coeur Carrousel On sonne au m	Radio-journal Dévotions Rythmes	Nouvelles Tout de Coffee Mus. Matinée	Radio-journal Prières Marches	Sport Musie Clock	
9 00 15 30 45	Actualités Yvon Blais Anne Richard Fleurs et	Pour madame Nouv. (9.55)	Nouvelles et chansonnette P'tit train	Nouv. et mus. Breakfast Club	Mr. et E. May Musique	Nouv Time was	Roger Baulu
10 00 15 30 45	Actualités Ici Fernand Robidoux	Au bal musette Chanson CHLP 1-4-1-0	Sur nos ondes Titre S.V.P.! Drame de	Fred Waring Kate Aitken Listening Post	Fanfares Kindergarten Musique Day Dreaming	Trading Post Ballroom	Artistes can. Entrevues mus.

Dernière grille horaire avec résumé de l'intrigue (*La Presse* du 4 janvier 1949, page 25).

illustré pour enfants qui pourraient y trouver plus d'un sujet, redonner vie à des héros d'ici sans les trahir. *Madeleine et Pierre* fait partie de notre enfance (la vôtre, la mienne) et de notre culture. De notre patrimoine aussi. N'y aura-t-il que les Claude-Henri Grignon, Roger Lemelin, Germaine Guèvremont qui auront eu le privilège d'être connus par un médium autre que la radio? D'autant plus qu'ici au Québec, nos créateurs regorgent d'inspiration et nos comédiens sont de très haut calibre.

Avant d'aborder le troisième chapitre, je me dois de souligner l'apport de deux personnes, trop souvent laissées dans l'ombre: Jean-Marc Audet, le frère d'André, et Andrée Audet, son épouse.

Cette dernière a réalisé quelques-unes des émissions de *Madeleine et Pierre*. À l'occasion, elle apportait quelques petits changements, en accord avec son mari. Collaboration étroite dont trop peu de gens connaissent l'existence et qui allégeait la tâche d'André Audet. De plus, c'est elle qui a adapté ces deux contes diffusés à Radio-Canada en juin 1950 dans le cadre de l'émission réalisée par Noël Gauvin, les plus beaux contes et les plus belles légendes, *Le Jeune Roi* d'Oscar Wilde et *Saint-Pierre le jongleur* (fabliau du Moyen Âge d'une durée de 15 minutes[18]).

---

18. Tels que décrits dans Catalogue collectif de Documents sonores de Langue française, p. 301-303.

Elle participe aussi à l'écriture de quelques textes de l'émission *Contes pour enfants sages*. Pour le grand public, Madame Andrée Audet est connue comme la première réalisatrice des productions féminines télévisuelles, *Rêve et Réalité*, à Radio-Canada.

Quant à M. Jean-Marc Audet, dès l'adolescence, il suit pas à pas son frère André. Dans le sous-sol de la résidence de ses parents, il se confectionne un studio d'enregistrement. Du Mont Saint-Louis, il passe à l'École Polytechnique de Montréal comme étudiant en génie civil. Le Conservatoire La Salle où il suit également des cours de diction l'attire et lui ouvre le chemin qu'il veut suivre. CKAC lui offre ses premières chances et pendant cinq ans il développe ce talent, quasi inné, d'ingénieur du son, devenant l'un des plus grands experts du pays. Il fonde, le 3 juin 1948, le Studio Marko. Tout comme son personnage de Zéphirin, Jean-Marc est un inventeur, un technicien, un photographe hors pair. Il va jusqu'à planifier et élaborer les premières consoles afin qu'elles soient les plus efficaces, les plus perfectionnées. En 1945, il épouse, en premières noces, Madame Gisèle Schmidt de qui il a un fils. En ce qui concerne uniquement le radio-feuilleton *Madeleine et Pierre*, Jean-Marc a mis ses nombreux talents au service d'André. Il a su tenir la barre pendant trois étés, afin de ne perdre ni l'auditoire (ce qui aurait été peu probable), ni la commandite de la compagnie

Kellogg. En plus de ses rôles de Zéphirin, de Bom Guillet, du petit Esquimau, de réalisateur, de coordinateur, etc., il a eu la sagesse de conserver l'œuvre de son frère et d'en devenir le porte-parole. Notre patrimoine culturel ne peut que lui en être des plus reconnaissants. Il est de ces hommes qui peuvent être fiers de ce qu'ils ont fait et servir de modèle à bien d'autres.

Toujours florissant, le Studio Marko a célébré son 40e anniversaire en 1988. Au moment où (en mars 2005) je reprenais l'écriture de ce manuscrit, j'appris, par le plus grand des hasards, le décès de Jean-Marc Audet, survenu deux ans auparavant, soit le 27 mars 2003. Si cet événement m'a anéantie, par la suite, il m'a incité à poursuivre et persévérer, afin de publier dès que possible ce projet.

Documents sonores de Radio-Canada

Si la radio m'était contée, n° 800410-14
La préhistoire de la Radio. Ferdinand Biondi rappelle le rôle de *Madeleine et Pierre*, le talent d'André Audet et le prestige de madame Audet.

Si la radio m'était contée, n° 800501-15
Les romans-fleuves. À la fin de cette émission, Raymond Laplante désigne *Madeleine et Pierre* comme la « première dramatique pour les enfants... »

N.B. Si l'indicatif musical est bien celui des *Trois Tambours*, par contre les paroles, adaptées par André Audet pour son émission, ne sont pas celles-là.

Nostalgie
Marjolaine Hébert et Jean-Marc Audet évoquent les particularités du radio-feuilleton *Madeleine et Pierre* dont ils ont été les vedettes. Émission de Radio-Canada, 9 juin 1991.

Message publicitaire « au sujet des céréales Corn Flakes de Kellogg, diffusé au cours de l'émission radiophonique *Madeleine et Pierre*, radioroman d'André Audet, entre 1939 et 1943 ».
Compo n° D 1973-26/213 C 827b.

Catalogue collectif des documents sonores de langue française, Tome I, 1916-1950. Archives publiques, Canada 1981.

III

Madeleine et Pierre *sur scène*

L E THÉÂTRE DES MIRLITONS au Théâtre Club présente en 1958 un collectif: *Ali Baba*, qui réunit quelques-uns des personnages de la *Boîte à Surprise*, tels Fanfreluche, le Pirate Maboul, et ceux de *La Ribouldingue*, dont Paillasson et Giroflée. Les textes sont adaptés par Roland Lepage. Ce dernier évoque dans une entrevue accordée à Hélène Beauchamp[1], non sans émotion, l'exubérant accueil des enfants face aux personnages amis qui les occupaient chaque après-midi au petit écran.

Avec quels mots faut-il alors décrire la curiosité, la fébrilité des auditeurs de *Madeleine et Pierre* quand leurs héros radiophoniques se révèlent sur scène en 1941? Vous peut-être, lectrices et lecteurs, étiez-vous du nombre

---

1. À consulter: Hélène Beauchamp, *L'Histoire et la condition du théâtre pour enfants, de 1950 à 1980.*

à les voir en chair et en os, à les toucher, à observer leur attitude, leur aisance, à échanger avec eux. C'est un privilège unique. Et pour les enfants-acteurs, se distancer de l'étroit studio de CKAC à la scène du Gesù avec tout ce que cela comporte de gestuelle, de micros, d'effets sonores. Quelle aventure ! Et que dire de leur petit quart d'heure qui se multiplie par huit, avec accessoires et costumes, comme en ont les acteurs adultes ! Et pour l'auteur, il faut surtout veiller à ne pas heurter l'imaginaire de l'auditeur-spectateur. Le faire passer de l'invisible au visible demande la plus grande minutie. Les voix gravées dans les mémoires prennent une dimension autre : un corps.

Les hauts lieux théâtraux de l'époque ouvrent leurs portes aux productions pour la jeunesse en respectant leurs notions, leurs règles, en acceptant d'emblée cette génération montante non dépourvue de qualités professionnelles. André Audet produit et met en scène *Mont-Tranquille* avec son atmosphère, ses bruits, ses paysages familiers, ses habitants, à travers une histoire connue des enfants puisque échelonnée à la radio pendant trois mois. Évidemment, André Audet produit et met en scène le spectacle, assisté aux décors par son ami Jacques Pelletier. Trois jours de représentations sont prévus, qui se révéleront insuffisants. Trois prolongations de trois jours chacune arrivent à peine à combler les innombrables demandes. Le succès est immédiat, foudroyant : 6000 auditeurs sont devenus spectateurs. La cote d'écoute de l'émission grimpe et comme le feront en 1958 les spectateurs de la revue *Ali Baba*, les enfants en redemandent. Alain Gravel présente la fantaisie *La Course d'auto* et font partie de la distribution, dans les rôles connus par les enfants auditeurs :

Adrienne Samuel	Pierre Thibeault
Jacques Bélair	Lorraine Pilon
Rolland D'Amour	Jean-Louis Garon
Jean-Marc Audet	Jacques Beaugrand-Champagne
Claire Boucher	Germaine Cabana
Adrien Vilandré	Mariette Daigle
Paulo Bruce	Michelle Thibeault
Pierre Gravel	André Audet
Guy Hogue	Maurice Racicot

Le spectacle est repris pour la Saint-Valentin. À partir de 1942, ce jour ainsi que les vacances pascales et le jour de l'An deviennent l'occasion rêvée d'offrir des représentations supplémentaires du spectacle du début d'année.

"Madeleine et Pierre" au GESU, dans "La Course d'autos"

Il y aura **trois** représentations : samedi après-midi 4 janvier; dimanche après-midi et soir, 5 janvier.

On n'avait annoncé que deux matinées. **La demande des billets est si forte** que la direction a cru bon de donner une troisième représentation. Elle aura lieu "dimanche soir" 5 janvier, à 8 heures 15. Qu'on prenne note.

Ce sera la première fois qu'on aura l'occasion de voir les vedettes du programme "Madeleine et Pierre" sur la scène.

La pièce à l'affiche s'intitule "La Course d'autos." C'est un grand spectacle en un prologue et dix tableaux par André Audet, l'auteur du programme.

Les décors entièrement nouveaux sont de notre excellent artiste Jacques Pelletier.

Parmi ces décors, mentionnons: le Club "Madeleine et Pierre" la boutique du bon'Guillet, la devanture du magasin général de Mont-Tranquille, une rue du village, la chambre de Georges et de Ti-Coune...

Ce n'est pas tout. On verra sur la scène une foule d'inventions cocasses : la machine à donner des coups de pied — la machine à habiller — le fauteuil truqué. Les enfants et les adultes auront le plaisir d'admirer les autos que les membres du Club se sont fabriquées : le "Bolide" de Pierre, le "Pou de la Route" de Ti-Coune, l'"Eclair" de Georges...

Madeleine et Pierre conduiront le bal, assistés de leur bon oncle Jean, de Ti-Coune, de Georges, de Zéphirin, de Royal, de Gaston, de Claire, du bom'Guillet, etc..... etc...

Pierre Gravel, le jeune frère d'Alain Gravel, Pierre et Michelle Thibeault, frère et soeur d'Olivette Thibeault sont de la distribution.

Nul doute que les enfants qui écoutent avec plaisir "Madeleine et Pierre" sur les ondes du poste CKAC, cinq fois par semaine, voudront voir ces charmants petits acteurs à l'oeuvre, tels qu'on se les imagine.

N'oubliez pas (Madeleine et Pierre me demandent d'insister sur le fait)... ce sera une "vraie pièce" dans des décors.

Trois représentations : samedi, 4 janvier en matinée et dimanche 5 janvier en matinée et en soirée.

Alain Gravel, le sympathique annonceur, présentera le spectacle.

Une suggestion aux parents : donnez comme étrennes à vos enfants des billets qui leur permettront d'assister au spectacle de "Madeleine et Pierre"...

(Bibliothèque et Archives nationales du Québec, *Radiomonde* du 4 janvier 1941, page 11).

En mai 1942, la première tournée provinciale de la troupe de *Madeleine et Pierre* s'organise autour des villes de Québec, Trois-Rivières, Saint-Hyacinthe, Sherbrooke et plusieurs autres. Une forte possibilité d'une deuxième tournée pointe à l'horizon, quand André Audet la rejette. Les obligations scolaires et familiales de sa nombreuse troupe priment avant tout.

Le deuxième spectacle, celui de 1944, s'intitule *La Brigade Blanche*. Lui aussi est tiré des épisodes de 1941 et de 1943, moment où André Mathieu venait accompagner la chorale de *Mont-Tranquille* pour fêter cette brigade des skieurs. Devant poursuivre, ici et à l'étranger, sa prodigieuse carrière, il ne peut malheureusement se joindre à la jeune troupe sur scène, laquelle connaît de plus en plus de succès qui se répercutent tant sur les enfants-acteurs que sur l'auteur lui-même. Ce dernier signe encore une fois le texte et la mise en scène. Son camarade Jacques Pelletier s'occupe des décors avec Léo Strasbourg et Marie-Laure Cabana est aux costumes. La critique est élogieuse. Deux matinées supplémentaires (samedi et dimanche) sont exigées. Les enfants ne sont pas obligés d'être accompagnés de leurs parents mais ceux-ci y ont accès. Le comique de la description de la course et des inventions (dont la machine à donner des coups de pied) fait éclater les jeunes. Un spectacle d'un genre inédit. Un triomphe. Un autre pas de géant accompli par André Audet sur le chemin de la nouveauté.

Publicité pour le deuxième spectacle de *Madeleine et Pierre* dans le Radiomonde du 1er janvier 1944. (Bibliothèque et Archives nationales du Québec).

Décembre 1944 est un mois fébrile entre tous, tant chez les enfants-personnages que chez les enfants-auditeurs. Les premiers trépignent d'enthousiasme en laissant échapper des «incroyables!», «extraordinaires!», «le peintre Pellan!». La curiosité est éveillée et on doit réserver sa place sans tarder.

Je tiens à signaler que c'est durant cette semaine-là que le nom d'André Audet, comme auteur de l'émission et directeur de la mise en scène, est signalé. Cela peut paraître banal, à prime abord. Pour les enfants, on pourrait croire qu'un nom ou un autre les indiffère. Au contraire, il n'y a qu'à les voir fureter dans les bibliothèques et dans les maisons de musique pour constater qu'ils ont des préférences. À la radio, médium de l'ouïe, ne pas divulguer au jeune public le nom de l'auteur me semble une omission déplorable. Mais c'était comme ça à l'époque et c'est peut-être pour cela que tant de créateurs sont tombés dans l'oubli.

Madeleine et Pierre 1944 est davantage élaborée que sa précédente. L'orchestre philharmonique des Belettes[2] de Mont-Tranquille est dirigé par Zéphirin. Jacques Pelletier, assisté de Léo Strasbourg, et Marie-Laure

---

2. Nom familier affectueux donné aux enfants par le fantaisiste Zéphirin tout au long des onze années du radio-feuilleton.

Cabana sont encore à leurs postes de décorateurs et de costumière. Il s'agit d'un opéra-bouffe *Ti-Rouge et les Trois Diables*.

Les mêmes comédiens connus en plus de quelques nouveaux font partie de la distribution:

Madeleine:	Adrienne Samuel
Pierre:	Jacques Bélair
Oncle Jean Desrochers:	Rolland d'Amour
Zéphirin, son assistant	Jean-Marc Audet
Ti-Coune:	Paulo Bruce
Marguerite, sa cousine:	Marjolaine Hébert
Roger « Ti-Coq » Belhumeur:	Jean-Louis Garon
Suzette Boisvert, sœur de Pierre:	Michelle Thibeault
Julien Morel:	Robert Gadouas
Louis Morel:	Julien Boisvert
Bibi Morel:	Louis Rolland
Coco Morel:	Gisèle Rolland
Arturo Pippalo:	Pierre Gravel
Ti-Phonse Galarneau:	Gilles Chartrand
Marie-Reine, sa sœur:	Estelle Piquette
Jimmy Saint-Amour:	Gaétan Labrèche

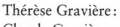

Thérèse Gravière :	Jeannine Noreau
Claude Gravière :	Fernand Gagnon
Ange-Aimée :	Mariette Daigle
Louison, sœur de Ti-Coune :	Jacqueline Jollet
Mme Chagnon, gardienne du chalet de ski :	Béatrice Picard ou Jeannine Adam
Bom Guillet :	Jean-Marc Audet
La Tortue :	Jean-Marc Audet

Et parmi les chanteuses : Gisèle Poitras, Estelle Piquette, Marjolaine Hébert (pour n'en nommer que quelques-unes).

Le Monument National, ayant déjà loué sa scène à d'autres, est contraint de restreindre le nombre de représentations supplémentaires.

Le spectacle remporte un très vif succès et est repris lors de la Soirée de Gala, sous la présidence d'Omer Côté, secrétaire de la province.

Quant à *Madeleine et Pierre* 1945, c'est une fantaisie : *Les Trois Princes*. Certains personnages s'éloignent des rôles qu'ils occupent dans le radio-feuilleton. Ainsi Zéphirin prend la peau de Satan et du Roi Ananas et Micheline Lorange celle de Madame Satan en exécutant ensemble un ballet pantomime. Madeleine et Pierre en font autant, faisant découvrir à tous leur polyvalence.

Aux décorateurs déjà connus vient s'ajouter Alfred Pellan : une fontaine de jouvence, un château, et plus encore, trônent sur la grande scène.

La critique est unanime ou presque, Jean Béraud (pseudonyme de Jacques Laroche), directeur de la rubrique des spectacles et concerts de *La Presse*, concentre sa critique sur la surcharge de décors au détriment de la compréhension des enfants, alors que Maurice Huot, dans *Le Canada*, proclame que « *Madeleine et Pierre* 1945 marquera une date dans les annales du théâtre à Montréal ». « Ni aux ballets russes, ni à l'opérette, encore moins à l'opéra, on aura vu en effet autant d'audace dans la mise en scène », affirme Lucien Desbiens dans *Le Devoir*. Pour André Lecompte, dans *Le Petit Journal*, le spectacle « serait même digne des grandes scènes américaines et européennes »[3].

André Audet, vous ne l'oubliez pas, est à l'avant-garde de tout. Une raison suffisante pour soulever autant l'exaltation que la critique négative. Comme sa mère, il poursuit ce qu'il a commencé et fonce encore plus. D'autres se partagent la scène du Monument National à cette époque : Gratien Gélinas avec ses *Fridolinades* et Henry Deyglun avec son radio-feuilleton *Les Secrets du Docteur Morhange*. Deux exemples intéressants

3. Textes élaborés et colligés dans le journal *Radiomonde*, le 13 janvier 1945, page 5.

de notre radiophonie qui se sont fait voir par les auditeurs. Un même patrimoine culturel qui reflète deux mondes complètement différents, celui des adultes, reconnu, et celui des enfants, hélas trop souvent oublié.

Le 11 mai 1946, c'est la 2000e! Et pour la fêter, quoi de mieux qu'un spectacle! Un autre et… gratuit! Cette unique représentation dure trois heures. Elle reprend plusieurs sketches, dont *Ti-Rouge et les Trois Diables*, avec Ti-Counc en vedette. L'émission régulière de 15 minutes est diffusée en direct du Monument national, entre 3 h 30 et 3 h 45 P.M. C'est l'unique fois qu'elle varie son horaire. Les auditeurs qui n'ont pu accéder au théâtre, plein à craquer, sont fidèles à l'écoute.

Les Troubadours de Mont-Tranquille, lors de ce spectacle au Monument National, sont:

Georges-André Paquin	Jean-Pierre Tomelert
Réjean Cloutier	Claude Glossey
Benoît Fauteux	Jean Sagouin
Réal et Jean-Marc Poliquin	Pierre Pérusse
Jean Lafrenière	

Aussitôt ce spectacle terminé, un autre se met en branle. Il boucle la série. C'est le dernier. Les tableaux sont à nouveau issus des intrigues radiophoniques, en Afrique et chez les cannibales. Les spectateurs voyagent avec Pierre, le héros de ce macroscope juvénile, et peuvent enfin voir sa cabine d'avion, un Constellation MT98. *Madeleine et Pierre* 1947 se présente dans toute sa gloire. Madame Jean-Louis Audet est toujours à la direction du chant, l'excellente Élisabeth Leese à celle des chorégraphies rythmées (inaugurant un genre nouveau) et prend la peau de la reine des cannibales tandis que Paul Beaulieu s'occupe des costumes et décors et Jean De Belleval de la création des masques.

Dans son habit d'aviateur, Pierre, au côté de Zéphirin, est sans contredit le héros. Celui du présent spectacle aussi bien que celui de toute la trame radiophonique. Se sont jointes à la distribution régulière Madeleine Touchette et Lise Lasalle. C'est l'apothéose! Les samedi et dimanche, le Monument national est encore bondé malgré la plus forte tempête de l'hiver.

Le 7 avril 1947, le dernier jour des vacances pascales est aussi la dernière prestation de *Madeleine et Pierre* sur scène.

Pendant six ans la jeune troupe a conquis plus de 18 000 spectateurs (enfants et adultes). Elle est la première troupe professionnelle à grimper tous les échelons de l'art théâtral. Saynètes, opérettes, mélodrames, tragi-comédies, contes, féeries; tous les genres y ont été abordés. Des péripéties

MADELEINE et PIERRE
fait salle comble

Malgré une circulation partiellement bloquée par la plus forte tempête de neige cet hiver, il y avait salle comble au Monument National samedi et dimanche derniers, aux premières représentations du spectacle de 10e anniversaire de "Madeleine et Pierre". Et les spectateurs ne regrettèrent pas d'avoir bravé la température pour aller voir évoluer sur la scène leurs personnages favoris de Mont-Tranquille. Le même succès semble assuré pour les autres représentations, et les billets s'enlèvent rapidement pour les 2, 3, 4 et 5 janvier. Le spectacle sera aussi présenté le jour des Rois, le 6, mais ce jour-là, le rideau se lèvera une demi-heure plus tôt, à 1 h. 45 p.m.

Il est difficile de juger ce que les jeunes ont préféré dans ce spectacle, car l'enthousiasme demeura le même depuis le premier tableau jusqu'à la grande finale. Il ne fait pas de doute toutefois que la scène représentant la cabine de l'avion de Pierre montée avec un réalisme parfait, et où on voit jusqu'aux manettes de contrôle, produisit un effet extraordinaire sur tous les spectateurs. Mais tous les autres tableaux provoquèrent aussi les applaudissements: la fantaisie sur une fable de La Fontaine où les rats courent sur d'immenses fromages; la légende de St-Nicolas présentée avec fantaisie; et la grande expédition en avion de Pierre, Zéphirin, Ti-Coune et Bibi vers l'Afrique, où ils sont fait prisonniers par les cannibales; c'est dans ce tableau qu'on assiste à des danses fantaisistes créées par Elizabeth Leese. Et la grande finale

sons françaises et canadiennes est faite de façon inattendue, avec un cocasse irrésistible.

Avec sa gaieté, son entrain, son humour, le nouveau spectacle de "Madeleine et Pierre" reste absolument dans l'atmosphère des Fêtes, et c'est un rendez-vous essentiel que tous les jeunes doivent se donner.

Une des critiques élogieuses de *Madeleine et Pierre* en 1947.
(Bibliothèque et Archives nationales du Québec, *Radiomonde* du 4 janvier 1947, page 4.)

et rebondissements divers se sont succédé. Des inventions étranges, des musiques et des chorégraphies originales y ont été créées. Supervisé par quelques adultes, dont André et sa mère (pour le chant), ce théâtre fut un théâtre de jeunes. Un théâtre pour les jeunes. Un théâtre où des adolescents et adolescentes de chez nous ont découvert leur destin. Un théâtre où des jeunes, peut-être vous, ont vécu des moments intenses, inoubliables et en ont conservé des souvenirs inaltérables.

Témoignages

ROBERT GADOUAS, treize ans, entreprit ses études de phonétique, d'élocution et d'art dramatique chez Madame Audet. Ayant assisté à une représentation de *Madeleine et Pierre*, il eut alors le coup de foudre pour le théâtre et déclara : « dans deux ans, j'aurai rejoint cette troupe ». Le plus amusant, c'est que deux ans plus tard, il avait véritablement atteint son but[1].

Gilles Pelletier, qui a débuté au théâtre en 1945, affirme dans une entrevue à la radio :

> Il y a un bonhomme ici qui a fait énormément pour le théâtre. Et sa mère, surtout, en formant des acteurs. Quand on dit que la plupart des gens d'aujourd'hui sont passés chez les Compagnons, il serait plus juste de dire, ils sont tous allés chez madame Audet. Qui était elle même une animatrice extraordinaire. André Audet était un metteur en scène, un auteur, un adaptateur et

---

1. *Radiomonde*, 9 janvier 1951, p. 6.

ce ne sont pas les Compagnons de Saint-Laurent qui ont joué la première fois un Claudel à Montréal, c'est André Audet. Il a monté Shakespeare : *Le songe d'une nuit d'été*. André Audet montait des pièces justement qui sortaient le public et les acteurs du théâtre facile, du théâtre de boulevard et de divertissement seulement. Il montait du théâtre poétique, du théâtre de pensée. André a fait ça avant les Compagnons et avant Pierre Dagenais[2].

Madeleine et Pierre à la télévision

La seule émission à avoir accordé quinze minutes de son temps d'antenne à l'émission *Madeleine et Pierre* est *Le Temps de vivre*, télévisée le 4 mai 1977. Pour l'occasion, le réalisateur, M. Jean Letarte, a invité cinq des personnages :

Jean-Marc Audet (Zéphirin, Bom Guillet, le petit Esquimau, etc.)
Jacques Bélair (Pierre)
Renée David (Madeleine)
Estelle Piquette (Reine, sœur de Ti-Coune)
Shirley Bruce (Ti-Coune enfin démasqué)

---

2. Extrait de l'émission *Voici Radio-Canada* 1945, diffusée le 6 avril 1986.

Préparé avec astuce, ce *Temps de vivre* se voulait un moment magique. Tout d'abord pour les quatre premiers comédiens ci haut mentionnés qui, rappelant le rôle de Ti-Coune et les exploits de la comédienne, la virent, tout à coup, descendre le long du grand escalier, incrédules. Madame Shirley Bruce, rayonnante, taquine, venait de Californie pour repartir aussitôt.

Pour les téléspectateurs, ex-auditeurs ou non, des *Aventures de Madeleine et Pierre*, ce fut l'opportunité de les scruter, de tendre l'oreille à leurs voix quasi inchangées, d'apprendre sur eux, de se souvenir avec eux et de fredonner l'indicatif musical.

À peine ces personnages du passé renaissaient-ils que, déjà, ils disparaissaient. Pour toujours !

IV

La magie d'André Audet

VOUS ÊTES FASCINÉS par l'univers de *Madeleine et Pierre* parce que vous êtes encore sous l'emprise de la magie de la puissance évocatrice des personnages et de leurs aventures. Votre enchantement persiste encore et pour rien au monde je voudrais le briser. Mais la baguette d'André Audet ne s'arrête pas. Sans franchir les limites de sa vie privée, il m'apparaît crucial de mettre enfin en lumière ses nombreuses productions et réalisations radiophoniques. André Audet est né à Montréal le 10 mars 1914. Enfant, lui et son cadet Jean-Marc suivent leur mère lors de ses apparitions à la radio et sur scène où elle s'exprime comme chanteuse et diseuse. Très tôt, ils sont tous deux imprégnés de l'agitation des studios, quoique différemment. Doués comme elle d'une aisance en public, ils ne tardent pas à s'improviser comédiens des saynètes composées par elle. Tout au long de cet apprentissage, André observe, note et confie ses premières créations, telle *La Causerie des Meubles*, à sa mère qui les monte en spectacle pour sa troupe. Une complicité qui ira toujours grandissante.

En 1927, il milite avec les étudiants Jeunes Canada (dont Robert Charbonneau et Saint-Denys Garneau). Il est à l'origine de ce qu'on appellera *La Relève*, en 1934. En belles-lettres, au collège Sainte-Marie, il est frappé par le virus de l'écriture. Il n'en guérira jamais.

On le retrouve parmi les nouveaux étudiants de la revue *Bleu et Or* de 1933 face à des juges chevronnés, dont Gérard Delage, Bernard Hogue, Louis Lapointe.

À peine âgé de vingt ans, il démontre une forte propension à s'aventurer sur les chemins non défrichés et devient le premier à adapter la pièce de Paul Claudel *L'Annonce faite à Marie* à la Salle Saint-Sulpice en 1934 et se taille une large place immédiatement au sein de nos dramaturges.

Peu après, avec *Le Songe d'une nuit d'été* de Shakespeare, il donne le premier rôle à son frère Jean-Marc, amorçant ainsi la carrière de ce dernier.

Comme vous l'avez lu dans le premier chapitre de cet ouvrage, il signe maints sketches, opérettes, monologues et poésies pour *Radio-Petit-Monde* et pour *Les Soirées de Grand'Mère*, deux émissions radiophoniques de Madame Audet. Il ne faut pas oublier que les élèves de cette dernière se produisent tant à la radio que sur scène; donc double emploi pour André. Car le mot lié au geste ou à un pas de danse n'est pas le même que celui formulé seul. Par exemple, il concocte une fantaisie musicale chorégraphiée inspirée du *Robinson Crusoé* de Daniel Defoe. Les costumes sont de la griffe du caricaturiste Robert LaPalme et les deux premiers rôles tenus par Pierre Dagenais et Adrienne Samuel.

André Audet est maintenant avocat. De plein gré, il abandonne cette profession pour se consacrer uniquement à l'écriture. Le monde des contes, des légendes, du merveilleux, du fantastique, de l'imaginaire, bref, tout ce qui interpelle l'enfant suscite en lui un écho. Même si dans certaines productions il semble s'en éloigner, il y revient vitement et toujours. Et ce, bien avant que la Bibliothèque de Montréal organise l'*Heure du conte* du samedi matin, vers 1941. D'ailleurs, partout au Québec, cet espace-temps réservé aux petits est maintenant omniprésent et représentatif de leur capacité de s'émerveiller et d'acquérir maintes connaissances. André Audet a vu juste.

En 1937, Jacques Pelletier, décorateur, assisté de mesdames Andrée Hogue et Laura Cabana, costumière, montent un atelier de marionnettes. Pour leurs spectacles, ils ont besoin d'un bon dialoguiste et ont recours à André Audet. Une rencontre de laquelle jaillissent maints projets, réalisations, échecs, mais aussi une amitié solide. Jean-Marc, le frère d'André, se joint à eux et nos cinq compères, avec leur quinzaine de marionnettes, se produisent d'abord à la caserne de l'île Sainte-Hélène. Forcés de quitter l'endroit devenu prison pour les Allemands, ils sillonnent les parcs de Montréal pendant quelques années, jusqu'en 1941.

La radio, devenant de plus en plus accessible à toutes les couches de la société, prend son essor. Ce médium l'attire évidemment et c'est vers lui qu'il oriente ses talents de scripteur. Avec *Madeleine et Pierre*, il inaugure le premier feuilleton destiné à un public juvénile. Il donne vie à maints personnages et les hisse au niveau de héros pour des milliers de jeunes. Aujourd'hui encore, il n'est pas rare que j'entende, tout comme le rappelait Pierre Dagenais en début de cet ouvrage, que des hommes et des femmes entonnent encore, en 2006, l'indicatif musical de *Madeleine et Pierre* avec des rires dans la voix et des larmes aux yeux. En fait, presque chaque fois qu'une discussion s'oriente sur cette époque des années 1940.

En 1939, pendant que Madeleine, Pierre, Ti-Coune, Reine deviennent familiers au jeune auditoire, la firme J. E. Huot, publicitaire du sirop Lambert, veut renouveler la formule du *Théâtre J. O. Lambert* devenu la *Demi-heure théâtrale du Dr Lambert*, diffusée sur les ondes de CKAC. Et pour ce faire, qui de mieux encore qu'André Audet! Peu après la première émission du radio-feuilleton *Madeleine et Pierre*, en 1938, André adopte le genre « dramatique par épisodes », c'est-à-dire un récit complet, tantôt de 15 minutes, tantôt de 30 minutes. Une formule choisie par l'agence, d'abord parce qu'elle semble attirer nombre d'auditeurs incapables de suivre l'histoire tous les soirs et que si quelques séquences leur échappent, tout n'est pas perdu. De plus, elle offre un choix de rôles à de nombreux comédiens. Cette écriture est aux antipodes du radio-feuilleton où le suspense prédomine, comme dans *Madeleine et Pierre*. Ce qui ne gêne aucunement la pensée magique d'André.

Néanmoins, l'émission *Les Mémoires du Dr Lambert*, dont le personnage principal est un médecin parcourant le vaste monde, tient l'antenne pendant sept années consécutives. Après une courte disparition, elle revient sur les ondes, toujours à CKAC, en 1947, sous le même nom et avec la même facture, mais présentée deux fois la semaine. Le 3 décembre 1949, les épisodes les plus populaires sont rediffusés, cette fois sous forme de radio-feuilleton d'une demi-heure et changent de nom pour *Les Fiancés de Val d'Amour* pendant trois ans. Depuis 1939, quel que soit le genre abordé, c'est André Audet qui signe le texte et la réalisation. Il est assisté par M. Beaugrand-Champagne.

Il arrive qu'à cette époque, malgré leurs approches différentes, les postes CKAC et CBF s'échangent des portions d'émissions. C'est ainsi que dans les Archives de Radio-Canada, j'ai repéré et réécouté six d'entre elles, toutes datées de 1943.

Les Mémoires du Dr Lambert
1-430314-1 « *Le Professeur de dessin* »
Distribution : J. R. Tremblay, autres personnages non identifiés.

2-430321-1 sur 430314 « *Nord-Ouest* »
3-430328-1 « *Le Commis voyageur au couvent* »
Distribution : J. R. Tremblay, Roland Chenail, Rose Rey-Duzil, Armand Leguet

4-430404-1 sur 430328-1 « *Le Maniaque* »
Distribution : J. R. Tremblay, Gaston Dauriac, Albert Duquesne, Mia Riddez

5-430411-1 sur 430314-1 « *Le Trapèze volant* »
Distribution : J. R. Tremblay, Gaston Dauriac, Rose Rey-Duzil

6-430418-1 sur 430314-1 « *Le Bossu* »
Distribution : J. R. Tremblay, Jacques Auger

Firent aussi partie de cette série Renée David, Yvette Brind'Amour, François Lavigne, Bernard Hogues, Juliette Huot, Janine Sutto et Jean-Pierre Masson, pour n'en citer que quelques-uns.

Il semble que ce fut la seule émission, outre celle intitulée *Les plus beaux contes et les plus belles légendes*, qui eut droit à quelques reprises après la mort de son auteur. Elle figure même dans la grille horaire de CKVL en octobre 1952.

En 1986, M. Robert Blondin, réalisateur à Radio-Canada, dans sa rétrospective des 50 ans de la radio d'État, diffuse *Voici Radio-Canada*. Il rediffuse, pour l'année 1943, *Le Commis voyageur au Couvent* le 15 février 1986. La semaine suivante, le 23 février, c'est au tour de *L'Objectif*. « *L'Objectif* est la dramatisation d'un exploit outremer de la RCAF, le 6 novembre 1942, par quatre aviateurs canadiens-français et un aviateur anglais[3]. » Ce récit est la preuve que rien ne passe inaperçu pour André Audet et que le moindre fait divers l'inspire.

Monique Miller témoigne :

---

3. Catalogue collectif de Archives sonores de Langue française, page 66.

Dès l'âge de 12 ans, on m'a dirigée vers Mme Audet avec laquelle j'ai fait mes premières armes. C'est chez elle que j'ai rencontré André qui m'a fait débuter à la radio dans *Les Mémoires du Dr Lambert* et les *Contes du samedi matin*. Je peux dire qu'il m'a montré véritablement la technique du métier avec une bonté et une patience rares[4].

Avec ses deux émissions *Les Mémoires du Dr Lambert* et *Madeleine et Pierre*, il va sans dire que les techniques de mise en scène, de montage, de scénarisation, de réalisation (il réalise lui-même ses émissions comme le fait Robert Choquette) n'ont plus de secrets pour André Audet. Et pourtant, il voudra innover encore et encore.

Écologiste d'avant-garde, mathématicien, passionné de chimie comme de sciences, André continue à garder, sur sa table de chevet, les Claudel, Baudelaire, Shakespeare. Sa grande culture, il la met d'abord au service des enfants avec une rare ouverture d'esprit.

En août 1940, il épouse Andrée Hogues. De cette union naîtront trois enfants. Et la radio de le rattraper encore. À l'approche des Fêtes, dans le cadre de sa programmation de Noël, CKAC lui demande un conte. Il réécrit le *Scrooge* de Charles Dickens, diffusé le 25 décembre 1941 de 8 h à 8 h

---

4. *Radiomonde* du 18 octobre 1952, page 3.

Une plaque de bronze bien méritée.
(Bibliothèque et Archives nationales du Québec, *Radiomonde* du 11 mai 1946, page 8).

30 P.M. Un succès retentissant qui sera repris plus d'une fois et se retrouve à CBF même en 1951.

Le 10 mai 1945, c'est le Jour de la Victoire ! André Audet et son grand ami André Mathieu offrent à Françoise Loranger un support musical à sa pièce *Le Retour du soldat*. Les Disciples de Massenet, dirigés par M. Charles Goulet, interprètent « Les voilà… Les voilà… ».

En 1946, enfin, son travail est récompensé. Il reçoit sa première plaque de bronze « pour ses recherches en mise en ondes. Saison 1945-1946 ». Figurant aux côtés de Marcel Ouimet pour ses reportages sur les champs de bataille, Roland Bédard et André Serval pour leur « versatilité » en tant que réalisateurs, diseurs et comédiens.

Le Vieux Clocher

Le Comité des fondateurs de l'Église canadienne a l'idée de s'emparer de la formule du radio-feuilleton pour l'année 1946-1947. Guy Maufette, son réalisateur, va chercher André Audet comme scripteur. L'émission comprend 24 épisodes diffusés les lundis, mercredis, vendredis, à CBF, de 5 h 30 à 5 h 45 P.M. retransmis à CBV (Québec) les mardis, les jeudis et les samedis, le matin de 8 h 30 à 8 h 45.

Le village inventé est sis sur les bords du fleuve Saint-Laurent (tout comme l'est *Mont-Tranquille*) et parmi ceux qui prêtent leur voix à ses habitants, je cite, entre autres :

Ginette Letondal	Gisèle Schmidt
Camille Bernard	Estelle Maufette
Paul Guay	Paul Guèvremont
Jean-Pierre Masson (professeur	
de biologie, maître de chapelle	
et personnage central)	

L'émission connaît un vif succès.

L'une des plus grandes préoccupations d'André Audet est de fonder une Académie de la Radio. Là se retrouveraient des auteurs radiophoniques et leurs meilleures œuvres. Afin non seulement d'avoir un centre où tout ce qui est radiophonie soit rassemblé, mais, c'est l'évidence même, où chacun, selon son expérience, apporte un enseignement, suscite des discussions, afin que ce lieu devienne un puits de ressources infinies.

Il n'a pas assez de temps devant lui pour mener à terme son projet. Pour le moment, rien ne presse et quoi de mieux que de reprendre sa première vocation, le droit, et de la mettre au service de la Société des auteurs dramatiques. Présidée par Louis Morisset, cette société a pour mission de protéger les projets et les œuvres de ses membres.

Monsieur Gustave

Depuis toujours les Québécois ont la réputation d'être de bons conteurs et la plupart du temps truffent leurs propos de détails déclenchant un sourire, une joie, un rire bienfaisant. Et quand la caricature auditive et la parodie se liguent, elles rassemblent quantité de gens à leur poste de radio. D'autant plus que le rire s'étale partout, surtout après les dernières années de guerre. Ainsi en fut-il de l'émission *Monsieur Gustave*, diffusée du 9 août 1949 au 11 octobre 1949 sur les ondes de CBF, de 8 h 30 à 9 h chaque mardi soir. Et c'est André Audet qui en signe les textes avec à ses côtés, parmi les interprètes, son frère Jean-Marc. D'ailleurs, le caricaturiste Chartier n'hésite pas à mettre, une autre fois, son talent au service de l'émission et la vanter.

Pour le *Radio-Théâtre de Radio-Canada*, il écrit entre autres *Le Pauvre*, diffusé le 19 mai 1949, et *Mayako*, diffusé le 5 janvier 1951, création originale qui a été sauvegardée.

Puis André Audet s'offre un stage d'études à l'UNESCO en folklore et en géographie. Encore une passion commune de la mère et de son fils.

Quoique préoccupé par son *Académie de la Radio*, il n'arrête pas sa plume. Elle a tant de choses à raconter, tant de lieux réels et imaginaires à décrire, tant de faits vécus et utopiques à relater. C'est ainsi que prend forme la série *Contes des enfants sages* diffusée du 26 octobre 1950 au 5 janvier 1951, et du 7 décembre 1951 au 4 janvier 1952 à CBF.

Toujours à Radio-Canada, à l'émission *Radio-Collège*, il signe un contrat de vingt textes pour la section *Histoire du Canada*, collaborant ainsi avec Madame Judith Jasmin. Cinq d'entre eux seulement seront diffusés :

Le Constructeur d'Empire, le 6 novembre 1951
L'Explorateur, le 13 novembre 1951
Le Missionnaire, le 20 novembre 1951
Le Guerrier, le 27 novembre 1951
L'Homme d'État, le 4 décembre 1951

À la même époque, il se permet, dans le cadre de l'émission *Les Joyeux Troubadours*, de pasticher l'œuvre de Bernardin de Saint-Pierre, *Paul et Virginie*. Ce sera André Rufiange qui devra l'achever.

Autres participations (fragmentaires)

Nouveautés dramatiques: *La Nouvelle Maîtresse*, le 31 août 1951
Le Théâtre de Radio-Canada: *Le Barbier de Séville* (Beaumarchais), le 12 juillet 1951
Le Théâtre Ford: *La Tempête* (Shakespeare), le 5 octobre 1951

La programmation de Radio-Canada réservée au jeune public s'est considérablement élargie et développée, même au moment où la télévision toute proche prendra la relève de la radio. Comme Guy Maufette, Noël Gauvin, le réalisateur de l'émission *Les Plus Beaux Contes et Les Plus Belles Légendes*, fait appel à André comme scénariste. Celui-ci, enrichi de son stage à l'UNESCO, y démontre son talent inné d'adapter les récits réels et féeriques des pays étrangers. Et cela dans une grille horaire restreinte de 15 minutes chaque samedi matin pendant deux ans. Le conte et le jeune public sont indissociables de toute son œuvre. Il a commencé avec eux et terminera sa trop brève carrière avec eux. Parmi les 200 contes choisis, qu'il a retravaillés et peaufinés, j'ai remarqué que c'est à Oscar Wilde qu'il revient le plus souvent. Or l'auteur anglais n'est guère connu au Québec d'alors et pas davantage aujourd'hui en ce qui concerne sa production pour la jeunesse. Voilà ce qui constitue une autre approche novatrice d'André Audet.

Le Jeune Roi, diffusé le 1er juin 1950, mérite le premier prix de la réalisation à Noël Gauvin, section Jeunesse, par le Canadian Radio Awards. Voici quelques-uns des textes d'auteurs adaptés par André :

Le Pêcheur et son Âme d'Oscar Wilde,	le 29 décembre 1950
Le Géant égoïste d'Oscar Wilde,	le 14 juillet 1951
La Petite Sirène,	le 30 décembre 1950
Saint-Pierre le Jongleur,	le 30 juin 1950
Anne de Cornouailles (fabliau du Moyen Âge)	le 23 juin 1951
La Folle Largesse	le 30 juin 1951
La Ville d'Isée	le 7 juillet 1951

Les quatre derniers ainsi que *Le Jeune Roi* sont conservés aux Archives publiques d'Ottawa.

Puis une liste partielle de contes totalement inconnus, étrangers :

De l'or, de l'or et encore de l'or (légende grecque)	le 15 mars 1952
Le Secret de la Pyramide (conte égyptien)	le 29 mars 1952
Le Nain jaune (conte de fées de Madame d'Aulnay)	le 12 août 1952
Le Sanglier de bronze (Andersen)	le 3 mai 1952
Le Petit Cheval bossu (conte russe)	le 31 mai 1952
Le Manteau magique (Grimm)	le 14 janvier 1952

Le narrateur attitré de l'émission est Miville Couture.

André Audet reprend *Scrooge* pour la fête de Noël 1941, et le replace en contexte pour CBF, le 23 décembre 1950, ce qui lui vaut, en 1951, le Premier Prix au Palmarès de la Radiodiffusion canadienne, section des programmes pour enfants, par la Canadian Radio Awards. Le samedi suivant le décès d'André Audet, Noël Gauvin, afin de rendre hommage au disparu, jugea bon de retirer *Les Plus Beaux Contes* de la grille horaire. Néanmoins, il reprendra son calendrier en rediffusant *Scrooge* et d'autres contes marquants de l'émission jusqu'en 1953.

En cette fin d'année 1951, André Audet s'active à résilier ses contrats avec CKAC (et autres parties engagées) afin de mieux remplir celui qui le lie avec la radio d'État. Encore une fois, sans aucune influence, de son propre gré, André devient l'un des premiers scripteurs pour la télévision. « Avec cette quatrième démission, tout est possible », proclamait-il à son frère, plein d'enthousiasme.

Avec l'avènement du Service des Émissions pour la Jeunesse, une première équipe est affectée à la création de spectacles télévisuels. Aux côtés d'André Audet, figurent Pierre Pétel, Jean Boisvert, Jean-Paul Fugère, Roger Racine (tous réalisateurs) et Jacques Pelletier (pour la scénographie).

« Vous et moi pouvons facilement imaginer qu'il aurait pensé à porter *Madeleine et Pierre* au petit écran », me répétait encore son frère, Jean-Marc Audet, lors d'une entrevue de 1990. Le sort a déjoué plusieurs de ses grands desseins. Chaque fois, André a relevé les défis avec obstination, avec acharnement et s'est mérité la faveur d'un immense auditoire qui pourtant ne connaissait aucun trait de son visage, ni même le timbre de sa voix. Les tout jeunes, par sa plume, ont été transportés dans mille lieux enchantés foisonnant de personnages drôles, émouvants, malfaisants, malheureux, fantaisistes, extraordinaires. Les adolescentes et adolescents se sont initiés aux arts, aux sciences, à la nature, à la vie de tous les jours avec ses routines, ses bonheurs, ses atrocités et ses belles découvertes. À travers plus de 4000 émissions, il a animé les soirs d'hiver rigoureux et les congés du samedi matin. Il a consolé, réconforté, motivé dans leurs études les plus âgés d'entre vous. Par sa plume, André Audet a ébloui et émerveillé l'enfance et lui a ouvert la porte sur le monde et sur les grands classiques. Chacune, chacun, vous, moi et tant d'autres : personne n'a été oublié par lui et personne ne devrait l'oublier lui non plus.

Quelques semaines à peine après la signature de son nouveau mandat à Radio-Canada, André Audet, souffrant d'urémie, est transporté d'urgence à l'Hôtel-Dieu. Il y reçoit les derniers sacrements. À l'âge de 37 ans et 10 mois, le mercredi 23 janvier 1952.

André... toi qui n'avais pas d'ennemis, car tu croyais à l'amitié et en la vie, tu fus trahi par celle dont tu ne défiais pas. La vie t'a laissé tomber, à la consternation de tous, un soir, à 7 heures[5].

André Audet en 1946.

5. Jean-Louis Laporte, *Souvenir d'un vieux copain, Radiomonde*, 2 février 1952, page 4.

Épilogue

Appel aux lecteurs

En culbutant dans le temps, avec *Madeleine et Pierre*, vous avez revécu certains passages enfouis dans votre mémoire. Vous y avez rencontré son auteur André Audet et découvert les multiples facettes de son œuvre. Pendant votre lecture, vous est-il arrivé de ne pas y retrouver tel personnage, telle photo, tel passage ou encore tel objet du radio-feuilleton? C'est qu'il m'a fallu faire un choix dans tout ce foisonnement qu'est *Madeleine et Pierre*. N'hésitez pas à m'en faire part. Il n'est pas trop tard pour compléter le présent ouvrage. Tout comme un jardin qui, au fil du temps, s'agrandit, se développe et s'enrichit, la recherche est avide de connaissances et de découvertes. Artistes, membres du *Club des Jeunes Aventuriers*, ex-auditeurs, spectateurs de *Madeleine et Pierre*, lecteurs et lectrices, vos souvenirs, photos, coupures de journaux, programmes de spectacles, etc. aptes à intéresser, à susciter l'intérêt d'autres personnes sont les bienvenus. De l'importance de vos propos et de vos envois dépend, peut-être, une suite à cet ouvrage historique et surtout un apport indéniable à l'œuvre d'André Audet. Je vous en remercie à l'avance.

Tel que confirmé dans les pages précédentes, André Audet avait à cœur, par son *Académie de la Radio*, que les textes radiophoniques soient compilés et deviennent ainsi une richesse patrimoniale à la portée de tous. Un immense pas a été fait. La grande majorité d'entre eux sont microfilmés en tout ou en parties. D'autres, comme ceux de *Madeleine et Pierre*, sont reliés (ce qui est rare) dans des volumes mais dorment dans des fonds privés à la Bibliothèque et Archives nationales du Québec. D'autres encore, comme bien des textes d'André Audet, sont aux archives d'Ottawa, à celles de Radio-Canada, à celles des théâtres québécois où ils ont été présentés. C'est-à-dire un peu partout. Mais ils existent. Or ici au Québec nous avons la chance d'avoir des techniques médiatiques modernes, des comédiens, des comédiennes, des réalisateurs, des metteurs en scène, des créateurs de haut niveau. Chacun d'eux peut trouver dans cette littérature de l'oreille (les œuvres d'André Audet et des autres radio-feuilletonistes) une source intarissable d'inspiration.

Il y a plus d'un avantage à ressusciter ces créateurs; ne serait-ce que pour retrouver en eux notre propre histoire, nos peurs, nos émotions, nos désirs, les problèmes et les particularités de notre société. C'est donc un appel à tous que je lance. Il est plus que temps de redonner au public les œuvres (et les textes) pour lequel elles ont été conçues. Et de concrétiser le projet si cher à André Audet, l'un des plus grands pionniers de la radio d'ici et, notamment, le créateur de *Madeleine et Pierre*.

Remerciements

MON AVENTURE ressemble à celles de *Madeleine et Pierre* où la nouveauté côtoie souvent la désillusion, le hasard la motivation, la découverte l'espérance. Alors que j'étudiais les premiers épisodes de Madeleine et Pierre, je fus intriguée par une publicité de cette émission tirée du *Journal des Vedettes* et publiée dans le livre de Gilles Proulx, animateur de radio. Je téléphone à ce dernier, alors au poste CKVL. Intéressé par mon projet d'écriture, il m'incite fortement à contacter M. Jean Letarte, réalisateur à Radio-Canada. Ce que je fis promptement. Ardent plaideur de ma cause, M. Letarte m'oriente vers les portes de divers secteurs de la société d'État et me présente à leurs dirigeants. J'y rencontre des femmes et des hommes qui, malgré leur emploi surchargé, n'hésitent pas à me prêter une bienveillante attention et témoigner un intérêt soutenu. Et ce, tout au long de mes recherches, en 1984 et 1985. À chacun d'eux dont je garde un ineffable souvenir, j'exprime ici toute ma gratitude. À Monsieur Jean Letarte, réalisateur, Madame Claire Robinson, superviseur des *Archives* *historiques*, et à Monsieur Roger Santerre à la *Photothèque* pour leur disponibilité. À Madame Rocio Coron van Hassel, agente de références au *Service des Documents sonores*, pour sa patience et sa bonne humeur. À Madame Gisèle Clément, bibliothécaire au *Centre des Ressources documentaires*, pour sa générosité et son soutien moral. À Madame Charlotte Ferland, directrice du *Service des Droits et dérivés de la Radio*, messieurs Normand Lapierre et Bernard Sorel, adjoints de recherches au *Service de la Documentation*, à M. Armand Plante, réalisateur de l'émission *Yvan l'Intrépide*, et à de nombreux autres membres du personnel de Radio-Canada qui d'une façon ou d'une autre ont contribué à l'élaboration de ma recherche. Et, tout dernièrement, à Monsieur Robert Blondin ainsi que Madame Anita Barsetti, agente actuelle des *Droits d'auteurs* à la Société Radio-Canada.

Qu'il me soit permis de souligner la collaboration de Monsieur Jean-Marc Audet. Que ce soit en entrevues, par téléphone, par le prêt de ses archives et des textes de *Madeleine et Pierre*, il a toujours eu une aisance naturelle, une souplesse d'esprit, le doigté de me laisser carte blanche. Nous avons toujours dialogué dans une atmosphère sereine. Cette confiance, cette véritable amitié ont allégé quelque peu les incalculables pistes de mes fouilles. Mon unique regret est de ne pas les avoir complétées avant sa mort.

Trop d'aléas ont différé, à plusieurs reprises, la poursuite de ce travail et, chaque fois, il a attendu avec patience et persévérance. Aujourd'hui je reste sa débitrice.

Je ne puis passer sous silence le nom d'André Vanasse, ami et directeur littéraire des Éditions XYZ, pour ses nombreux et judicieux conseils.

Enfin, toute ma reconnaissance et ma tendresse à mon mari Édouard Pelchat qui m'a assistée dans mes recherches, la correction, le traitement de texte et la numérisation des images.

Bibliographie

Audet, Jean-Louis Madame, *Les Monologues du Petit-Monde*, Beauchemin, 1938, réédition, 1965, 250 pages.

Blondin, Robert, concepteur et réalisateur de l'émission *Voici Radio-Canada (50 ans)* diffusée tous les dimanches de 1986, Archives sonores de Radio-Canada.

Beauchamp, Hélène, *L'Histoire et la condition du théâtre au Québec de 1950 à 1980*, Thèse de doctorat, Université de Sherbrooke, Juillet 1982, 553 pages.

Caron, René et Luc Bertrand, *Comme si c'était hier*, Éditions Quebecor, 1996, 196 pages.

Escarpit, Denise, *L'Enfant, l'image et le récit*, Mouton & Co., La Haye.

Gold, Muriel, *A Study of the Three Montreal Children's Theater*, These of Master of Art in the English Departemental Drama, McGill University, Montréal, août 1971, 100 pages.

Letarte, Jean, réalisateur de l'émission télévisée *Le Temps de Vivre*, 4 mai 1977, Archives télé de Radio-Canada.

Pagé, Pierre, *Archives de la littérature radiophonique au Québec,* Microfilms de *Madeleine et Pierre*, Bobines 1-3-8.

Société Radio-Canada, Archives sonores, Photothèque, Service de la Documentation, Droits d'auteurs de la Radio.

Proulx, Gilles, *L'Aventure de la Radio au Québec*, La Presse, 1979, 143 pages.

Warrant, Jacques, *Un an de recherches sur la radio et l'enfant*, Cahier d'Études de Radio-Télévision n° 7, 1956.

Archives publiques d'Ottawa, *Catalogue collectif de documents sonores de langue française,* Tome 1-1916-1950 1981, 369 pages.

Bibliothèque et Archives nationales du Québec, Fond privé d'André Audet.

Table

MEMBRE DU GROUPE SCABRINI

Québec, Canada
2006